JN113158

海は地球の
たからもの 3

海の生き物の役割

保坂直紀 著

ゆまに書房

海は地球のたからもの 3

海の生き物の役割　もくじ

第1章 わたしたちは海からやってきた　4

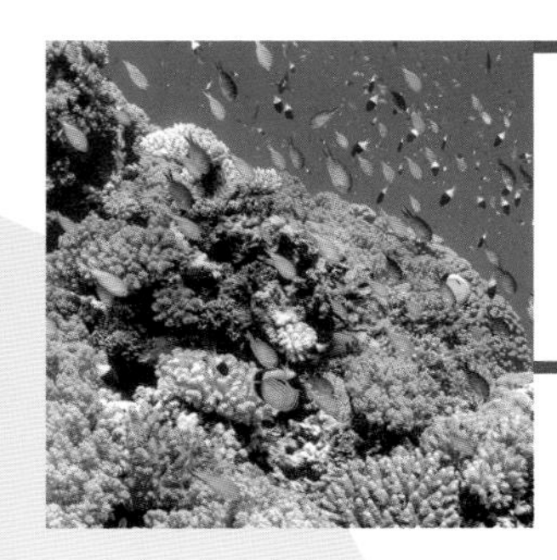

第2章 にぎやかなサンゴ礁

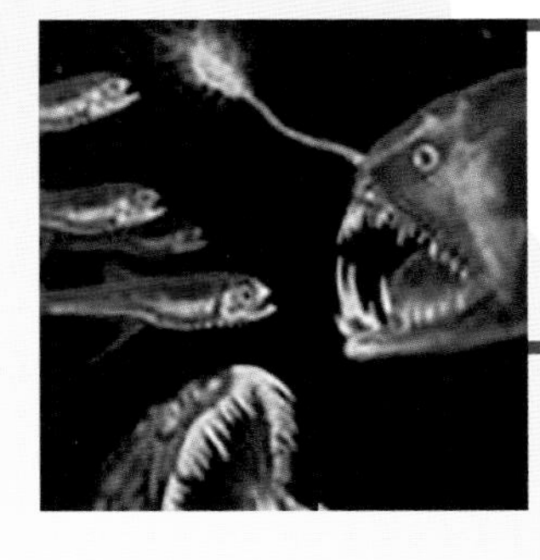

第3章 深海の生き物たち

第1章

わたしたちは海からやってきた

海がなければ、わたしたちもいなかった

地球上には、たくさんの生き物たちがいます。陸上には森の動物や虫たち。わたしたちも陸の生き物です。土の中には、目に見えない小さな微生物もたくさんいます。海には魚や貝やクジラも。陸にも海にもたくさんの種類の生き物たちがいますが、地球上の最初の生き物は海で生まれました。海で最初の命が誕生し、それがとても長い時間をかけて進化しながら陸へも広がっていったのです。

もし海がなければ、おそらくわたしたち

生き物は地球上に誕生しなかったと考えられています。この第３巻のテーマは生き物です。生き物にとって海がどれほどかけがえのない大切なものなのか、そしてその中で海の生き物がどんな役割をはたしているのかについて、お話ししていきましょう。まずは、地球に海がどうやってでき、そこに生き物がどのように生まれてきたかというお話から……。

できたての地球は熱かった

地球は、いまから46億年まえにできました。ですが、できたての地球には生き物はまったくいませんでした。なぜなら、そのころの地球は、岩でもとけてしまうくらい、とても熱かったからです。もちろん海もありませんでした。

地球は、太陽のまわりを回る８個の惑星のうちのひとつです。太陽とこの惑星たちは、もとは宇宙のガスや「ちり」でした。ガスやちりの濃く集まった部分がゆっくり回転を始め、やがて中心にガスが集まって星ができます。これが太陽の原型です。

回転しているガスやちりのところどころに、岩のようなかたまりもできてきます。

回転しているうちにそれがくっつきあって、だんだん大きくなります。大きさが数キロメートルくらいになったものを「微惑星」といいます。「微」というのは、とても小さいという意味です。これがさらにくっつきあって、惑星の原型ができあがります。これが「原始惑星」です。

地球は、原始惑星や微惑星がおたがいに衝突してくっついてできました。衝突のときのエネルギーが熱になって、このころの地球の温度はとても高くなっていました。

「マグマオーシャン」という岩石の海

この熱い地球には「海」がありました。ですが、ゆたかな水をたたえた現在の青い海とは似ても似つかない海でした。

そのころの地球は、あまりにも熱かったので、その全体がどろどろにとけた岩石でおおわれていました。とけた岩石を「マグマ」といいます。いまでも火山の下には熱いマグマがたまっていて、それが地上にふきだすと「噴火」になります。この「マグマ」に、海を意味する「オーシャン」ということばをつなげて、あの時代のどろどろにとけた岩石の海を「マグマオーシャン」とよんでいます。

地球全体の表面が、厚さ 1000 メートルくらいのマグマオーシャンでおおわれていたと考えられています。岩もとけてしまうほどの熱さですから、もちろん生き物はいませんでした。

このころの地球には水もありましたが、このように地球はとても熱かったので、水は液体ではなく、大気中に多量の水蒸気としてふくまれていました。その後、地球はだんだん冷えてきて、あるとき、いまでは想像できないような激しい雨となって降ってきたと考えられています。

● 海ができるまで

マグマオーシャン

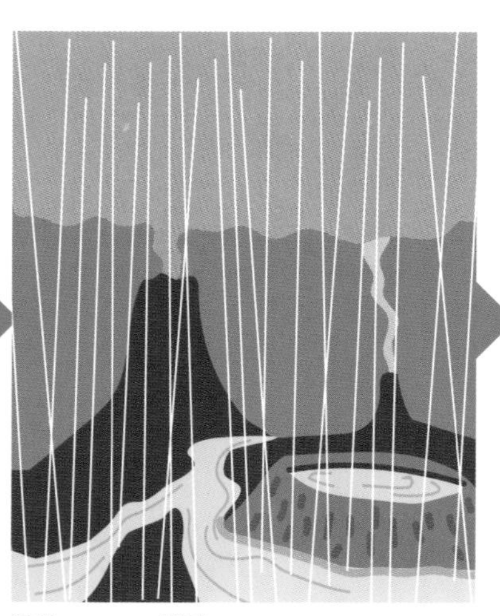
想像をこえる大雨

原始の海の誕生

海はできたが猛毒の海だった

現在の海にある量の水が雨として降ってくるには、いまなら土砂くずれなどの大災害がおこるような激しい雨が、2年以上も降りつづく計算になります。実際にどのような雨だったのかはよくわかっていませんが、こうして降った雨が地面の低いところにたまり、水をたたえた海ができてきたのです。いまから40億年くらいまえのことだと考えられています。

この海は、たしかに水の海だったのですが、現在の海とはまったくちがっていた点があります。生き物にとって有害な物質がたくさんとけていたのです。

現在の海には、1リットルあたり約35グラムの食塩がとけています。そのほかの成分は、わずかな量です。ところが、できたての海には、火山からでた二酸化炭素や塩酸などが多量にとけこんでいました。塩酸は理科の実験でも使いますが、じゅうぶんに注意しないと危険な物質です。このころの海は「猛毒の海」といってもよいほどでした。

生命の誕生

こうして海ができたころ、地球で最初の生き物も誕生しました。グリーンランドの岩の中から、生き物に特有の「炭素」という物質がみつかったのです。調べてみると、この岩はいまから38億年まえにできたものでした。すくなくとも38億年まえには、すでに地球上に生き物がいたということです。生き物といっても、わたしたちとおなじように大きな動物や植物ではなく、目に見えないほどの小さな生き物でした。

では、最初の生き物は、どこでどうやって誕生したのでしょうか。これもはっきりとはわかっていないのですが、有力なのは、海で誕生したという説です。それをつぎにお話ししましょう。

海底の「温泉」

当時の地球では、太陽から届く有害な紫外線がとても強かったので、陸上や海の浅いところでは、生き物はくらせなかったと考えられています。水は紫外線を通しにくいので、深海ならその影響を受けずにすみます。

現在の海底には、「温泉」がわいている穴があります。これを「熱水噴出孔」といいます。熱水噴出孔がある水深何千メートルもの深い海底には、太陽の光は届きません。第2巻の38ページで、海の生き物が生きていくための栄養は、まず最初に植物プランクトンの光合成でできるとお話ししました。光合成には太陽の光が必要なので、このお話は深海にはあてはまりません。

それならば、深海には栄養がなくて生き物がいないのかというと、そうではないのです。熱水噴出孔のまわりには、貝の仲間やエビの仲間など深海に特有の生き物が集団でくらしています。第３章でくわしくお話ししますが、熱水の成分から栄養をつくることができる、光合成とはちがうしくみを出発点にして、いろいろな生き物がくらしているのです。

生命が深海で生まれた可能性

噴出孔からでる熱水には、生き物の体の「部品」をつくることのできる材料がふくまれています。もちろん、いま熱水噴出孔のまわりでくらす生き物たちは、こうした材料を使ってゼロからつくられているわけではありません。ふつうの生き物とおなじように、親から子が生まれて育ちます。

重要なのは、熱水噴出孔のまわりでは、まったく生き物がいないゼロの状態から生き物の体をつくりだせる可能性があり、誕生した生き物が生きながらえることができたかもしれないという点です。現在、熱水噴出孔のまわりでくらす生き物たちをみると、それはありうる話です。

地球で最初の生き物はどこで生まれたのかという点については、このほかにも、大気中で雷がくりかえし発生して生き物の「部品」ができたという説、宇宙からいん石などに乗ってやってきたという説、地下の熱い空洞で誕生したという説などいろいろあります。

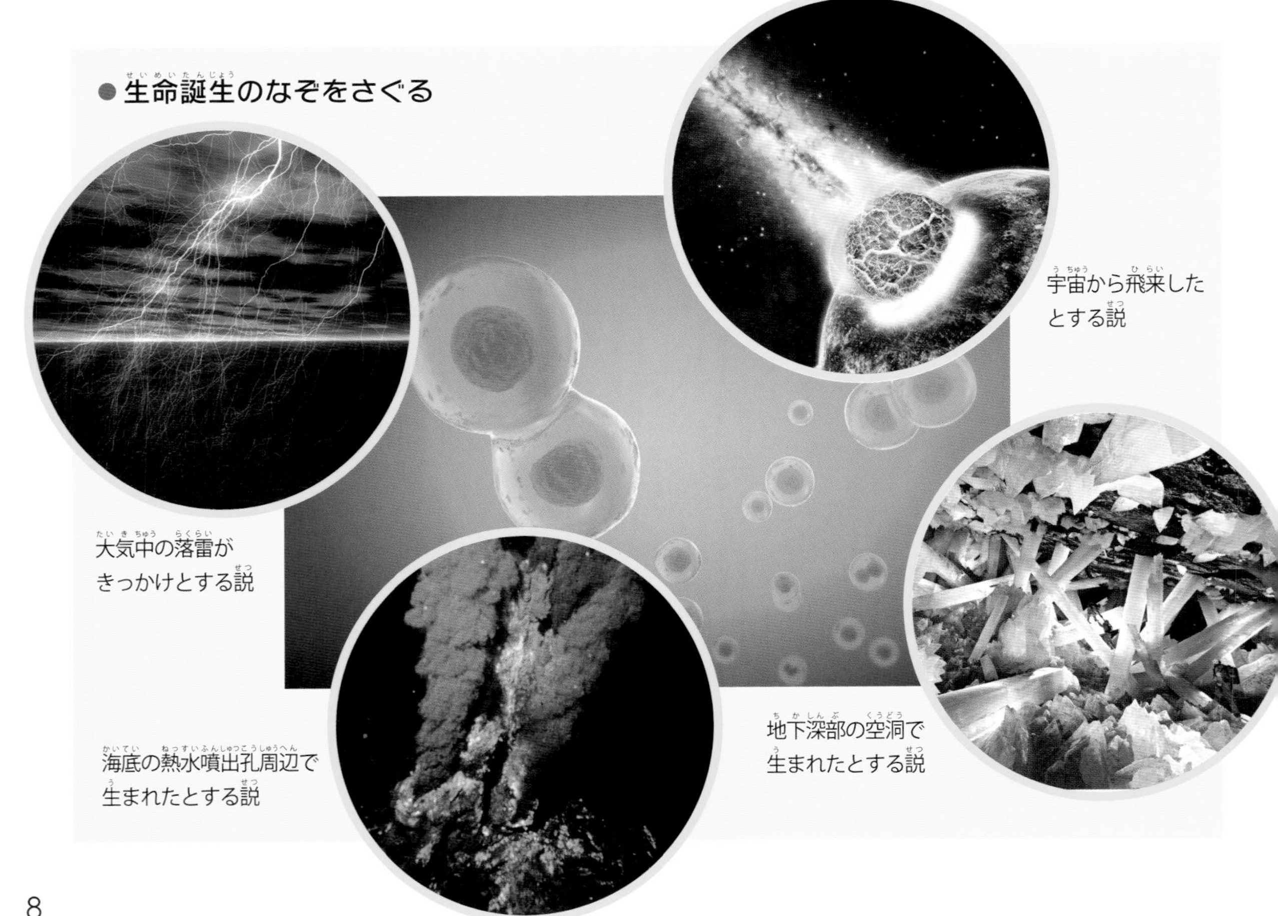

● シアノバクテリアがつくった酸素

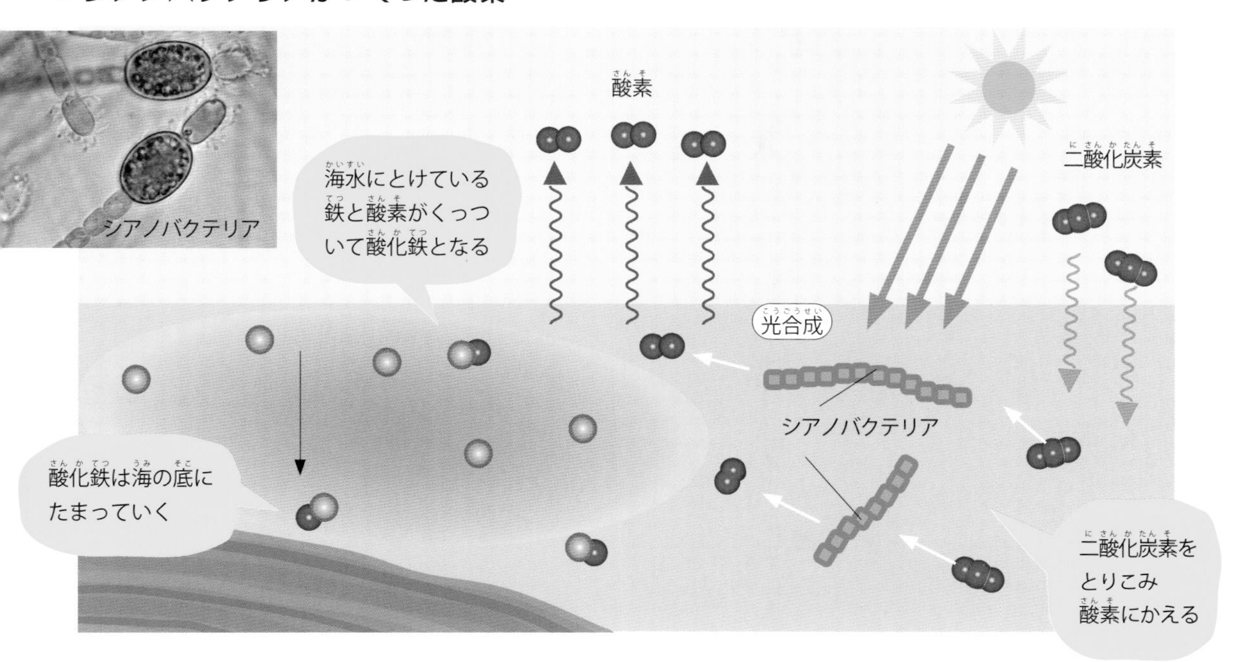

地球の酸素は海から生まれた

生命の誕生は深海でしたが、そんな海におおきな変化が現れたのは浅い海でした。いまから27億年くらいまえです。酸素をつくる目に見えない小さな微生物が現れたのです。シアノバクテリアとよばれるこの微生物は、海の浅いところで光合成を行うことができたのです。二酸化炭素を使って栄養分をつくりだし、それをさまざまな生き物が利用する現在の生き物の世界の始まりです。

当時の海にはたくさんの鉄分がふくまれていました。海中に酸素が増えると、鉄分と酸素が結びついて「酸化鉄」という物質ができます。酸化鉄は赤いので、そのころの海は、鉄分をたくさんふくんだ温泉のように赤かったと考えられています。「青い海」ならぬ「赤い海」です。

この酸化鉄は、海底にしずんで積もります。地球の長い歴史のなかでは、その海底が持ちあがって陸になることもありました。わたしたちがいま使っている鉄は、この酸化鉄をほりだして利用しているのです。鉄はシアノバクテリアからわたしたちへの贈り物といってよいのかもしれません。

鹿児島県の硫黄島では、港内の温泉が含む鉄分で、今でも赤い海が見られる。

酸素を使う生き物の登場

シアノバクテリアのおかげで、海の中には酸素が増えてきました。酸素はわたしたちが呼吸するために必要なものなので、酸素というと、なんだか体によいもののような気がしますが、じつは酸素はとても危険な物質です。鉄をさびさせてしまうのは酸素のはたらきです。鉄に酸素がくっついて、鉄をボロボロにしてしまうのです。このように、酸素は、別のなにかと結びついて相手をこわしたり、性質を変えてしまったりする性質をもっています。

ですから、海中に酸素が増えたせいでほろんでいった生き物もたくさんいたはずです。そんななかで、この酸素を利用する生き物が現れました。

呼吸のために酸素を使えるようになると、体の中にたくさんのエネルギーをつくりだすことができるようになります。そのエネルギーを使えば、体をすばやく動かすこともできます。すばやい動きは、えさになるものを追いかけたり敵から逃げたりするときに、とても有利です。

カンブリア紀のにぎやかな海

いまから5億3000万年くらいまえに、海の中にさまざまな動物たちが急に現れました。まるで、おもちゃ箱が爆発して、いろいろな動物たちが急に飛び出してきたような感じです。5億4100万年まえから4億8500万年まえまでの「カンブリア

● 地球の歴史年代区分

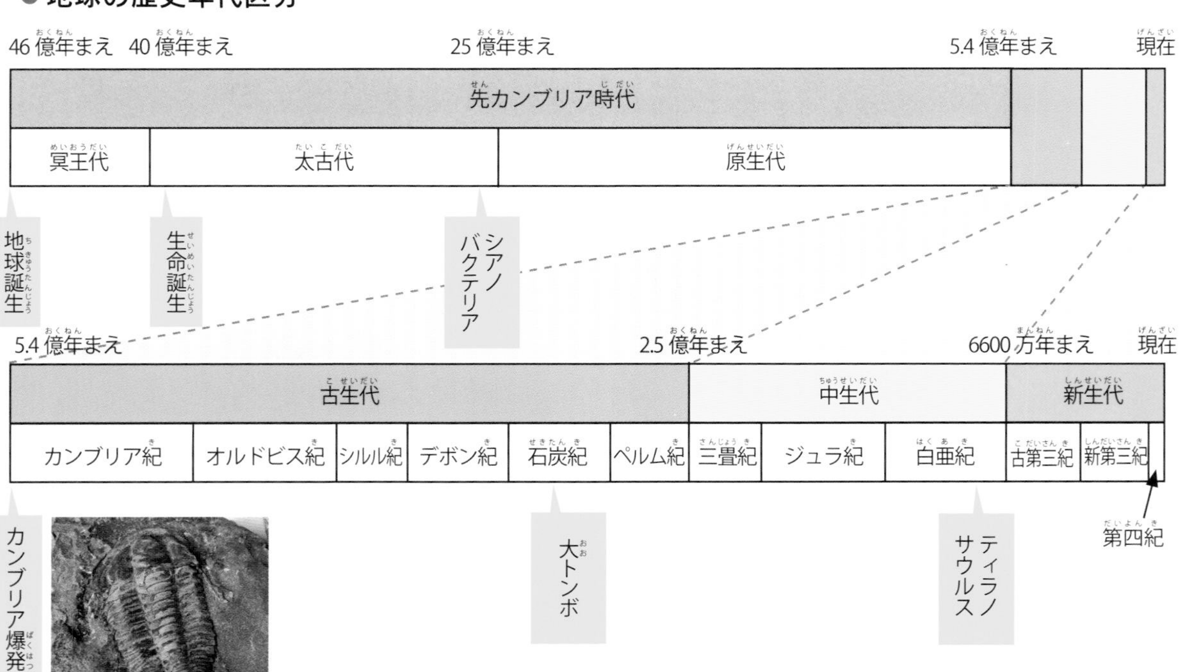

三葉虫の化石

紀」という時代におきたできごとなので、このときの動物たちの出現を「カンブリア爆発」とよんでいます。

そのころの生き物で有名なのは三葉虫でしょう。1センチメートルに満たないうような小さなものから1メートル近いものまで、さまざまな三葉虫が海底をはっています。現在のエビやカニとおなじように、体の外側はかたい「から」でおおわれています。

体長が2メートルにもなるアノマロカリスが、ゆうゆうと泳いでいます。頭から2本の腕のようなものが突き出ています。ゾウの鼻のような1本の長い腕が体の前方に突き出たオパビニアもいます。オパビニアは五つの目をもっていました。

「から」と「目」

現在の動物には、こん虫やカニ、貝のように体の外側に「から」をもつものと、わたしたちのように内側に骨をもつものがいる。いずれも体を支える「骨格」だ。「から」をもった生き物が現れたのはカンブリア紀。それまでは、体を支えるものがないふにゃふにゃの生き物ばかりだった。内側に骨をもつ動物は、まだ現れていない。

目がある生き物が現れたのもカンブリア紀だ。

体を守るかたい「から」があれば、敵におそわれたときに有利だ。「目」は、体どうしが触れなくても相手がいることがわかるし、えさをとったり、手ごわい相手から逃げるとき役に立つ。カンブリア紀には、生きていくために相手をおそってえさにする生存競争が激しくなり、その結果、「から」や目がある生き物が生き残ってきたと考えられている。

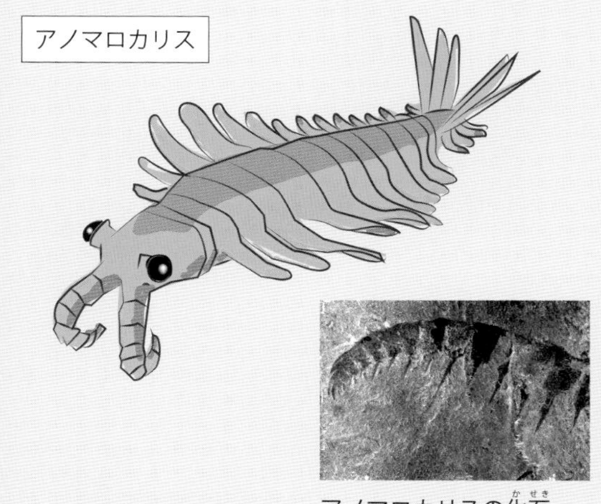

アノマロカリスの化石

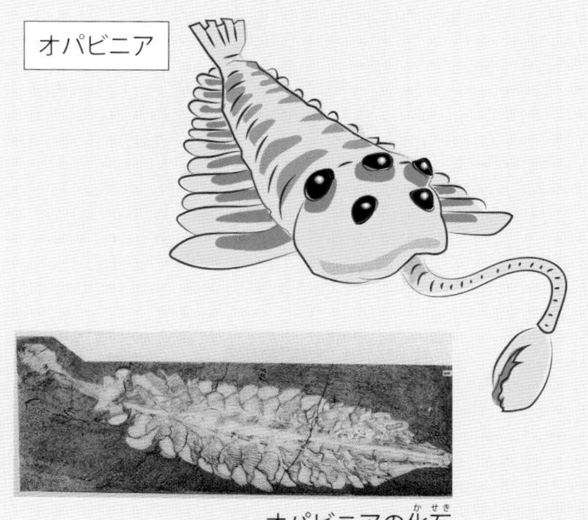

オパビニアの化石

カンブリア紀の海は、このように風変わりな形の動物たちでにぎやかでした。

酸素のおかげで生き物は陸上へ

いまから20億年くらいまえまでは、陸上は生き物のすめる場所ではありませんでした。太陽からくる紫外線が強すぎて、生き物が生きていけなかったからです。

わたしたちが夏に太陽の強い光をあびすぎると、はだが赤くはれてしまいます。太陽の紫外線が、ひふに悪い影響をあたえたのです。ばい菌を死なせて消毒するための紫外線ランプもあります。このように、紫外線は生き物の体にとって有害です。むかしの地球では、太陽からくるこの紫外線が、いまとは比べものにならないほど強かったのです。

海の中でシアノバクテリアがさかんに酸素をつくりつづけた結果、やがて大気中にも酸素が増えてきます。すると、酸素から「オゾン」がつくられるようになります。

オゾンは、太陽からの紫外線を吸収して、地上に届く紫外線を弱めてくれます。オゾンはすこしずつ大気中に増えていき、紫外線が生き物にとって安全な量にまで減ったのは、いまから5億年くらいまえのことです。

まずは植物が海から陸に上がってきた

地上に届く紫外線が弱まって生き物たちが陸で安全にくらせるようになったとき、最初に陸に上がってきたのは植物でした。光合成をする植物にとって、太陽の光をじゅうぶんに受けることができる陸上のくらしは有利です。

とはいっても、海にくらべて陸は、生き物にとって厳しい環境でもあります。水中でゆらゆら浮いているのとはちがい、自分でしっかりと体を支えられなければなりま

● 動植物の上陸

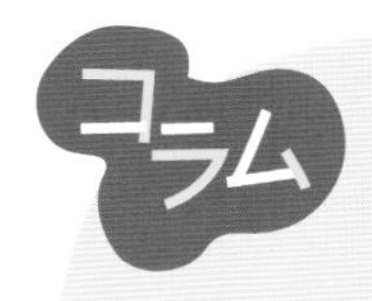

オゾン層

オゾンは、太陽の紫外線で分解された酸素をもとにできる気体だ。地球の大気では、高度 20 ～ 25 キロメートルのあたりにたくさんたまっている。オゾンがたまっているこの高さを「オゾン層」という。

化粧品のスプレーや冷蔵庫を冷やす装置などにかつて多量に使われていたフロンガスには、捨てられて大気中に広まるとオゾン層を破壊するはたらきがある。とくに南極上空ではオゾンの減少がはげしく、そこだけオゾン量の少ない「穴（ホール）」が開いたような状態になってしまった。これが南極上空のオゾンホールだ。

フロンガスの使用は世界的に規制され、地球全体としてはオゾン層はすこしずつ回復してきているが、オゾンホールの回復にはまだしばらくかかる見通しだ。

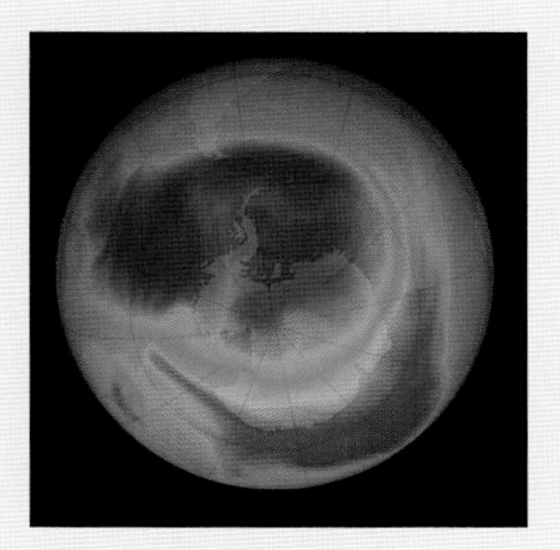

南極オゾンホール（2019 年）

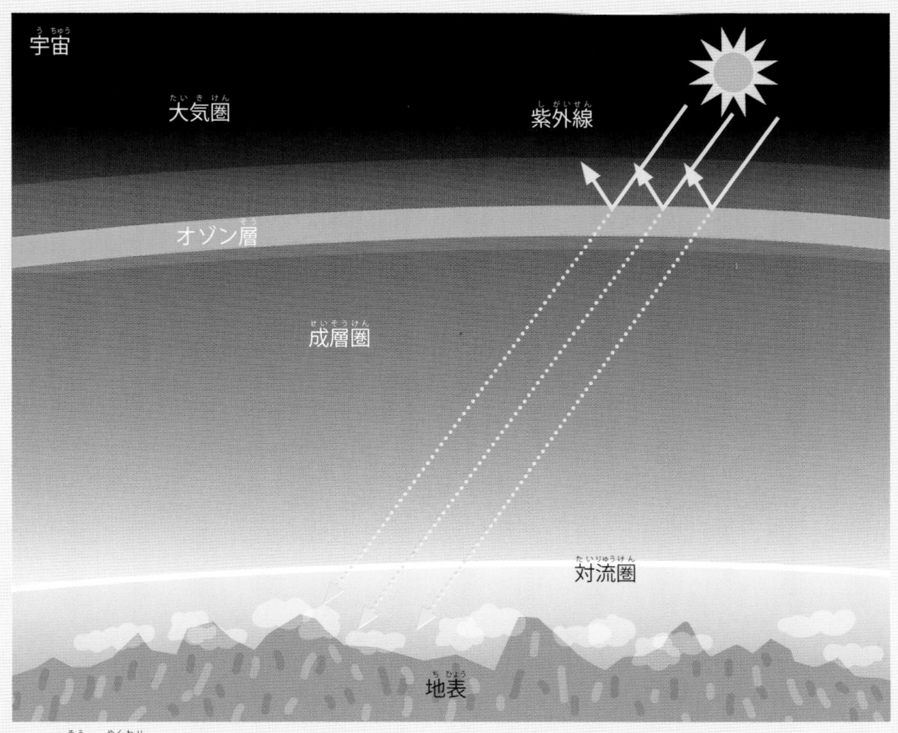

オゾン層の役割

せん。生き物の体は水分をふくんでいるので、それが蒸発して干からびてしまわないよう、体の表面に強い皮をつくる必要もあります。そのように体のしくみをつくり変えることができた植物が、陸上のあちこちに広がっていきました。

陸上にはえている植物がかれて地面にたおれると、それを微生物が分解して土にかえります。こうしてできた土は栄養分をふくんでいます。それまでの地面は、岩や、それが細かくくだけた砂でできていたので、栄養分はありませんでした。海から陸に植物が上がってきて、陸地もそれまでとはすっかり変わっていったのです。

そして動物も上陸した

陸に最初に上がってきた動物は、こん虫でした。いまから4億年くらいまえのことだと考えられています。このころになると、現在の木のようにかたい幹をもつシダがうまれ、3億5000万年くらいまえになると、

● 生物の上陸

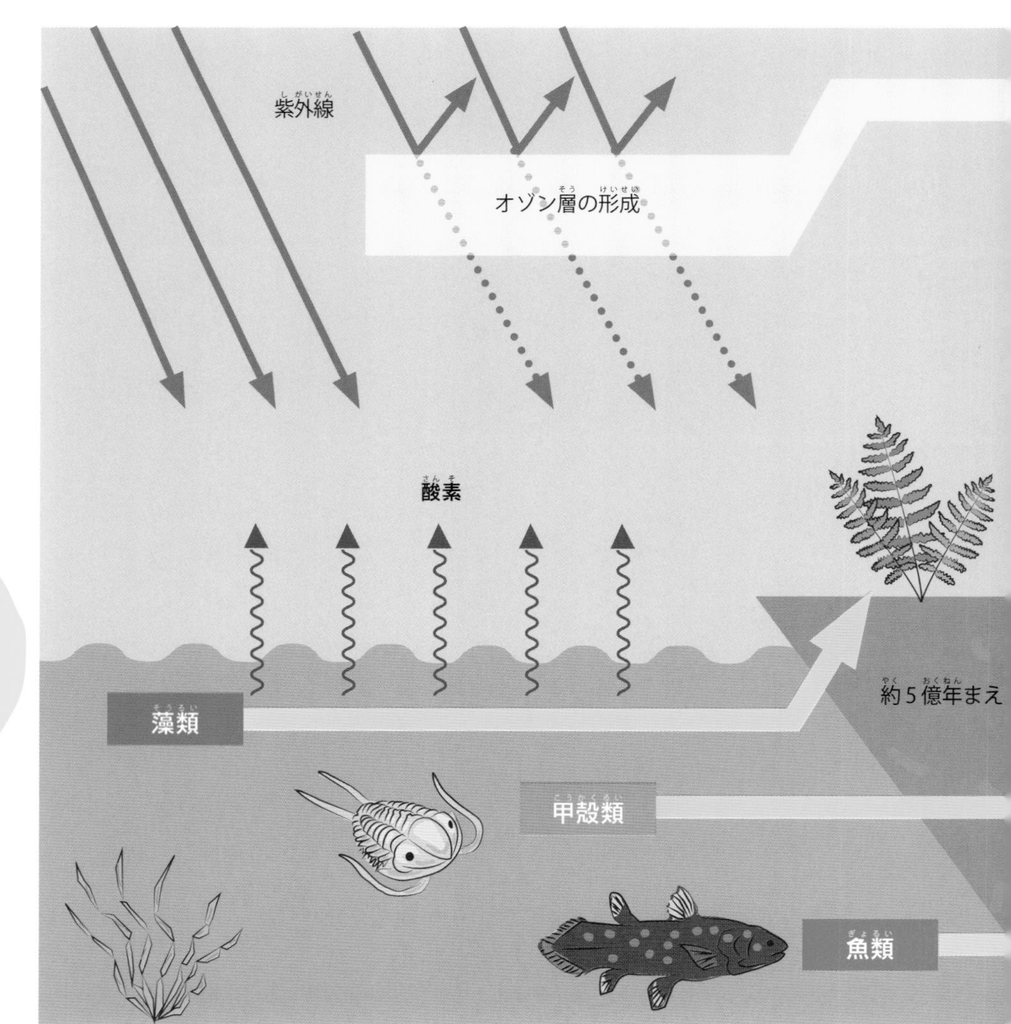

環境にあわせて動物も植物も進化して、たくさんの種類に分かれていったんだね。

大森林もできていたようです。この中を巨大なトンボなどが飛びまわっていました。

そのころ、わたちたちとおなじような背骨をもつ「せきつい動物」も陸上に現れました。「両生類」の誕生です。もとは海中の魚でした。「ひれ」が「あし」になって体を支え、それがやがて「は虫類」になります。両生類は卵を水中に産むので水辺からはなれることはできませんが、は虫類は陸で卵を産みます。動物は、その段階になって完全に海からはなれ、陸だけで生活できるようになったのです。

もし地球に海がなければ……

地球ができたのは、いまから46億年まえです。地球上に生命が誕生したのは40億年くらいまえで、植物や動物が海から陸に上がったのは5億～4億年まえです。ですから、40億年の生命の歴史のうちほとんどの時間は、生き物はすべて海にいたのです。現在の地球の生き物は、まだ陸に

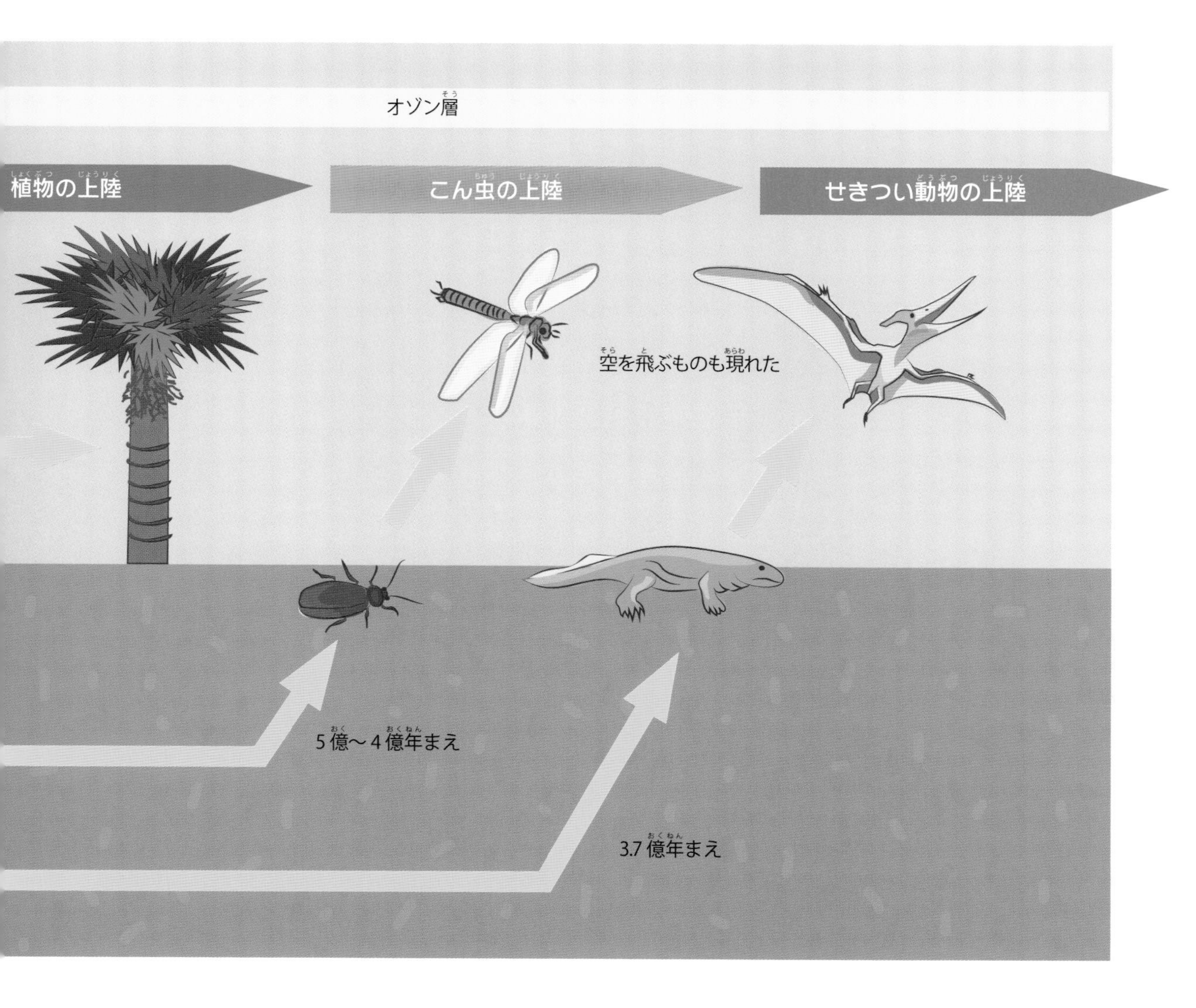

上がってきたばかりともいえます。

わたしたち人間は陸の生き物ですが、海ととても深い関係にあったことをうかがわせる「証拠」があります。

ひとつは、わたしたちの体の成分です。わたしたちの体は、量の多い順に酸素、炭素、水素などの成分でできています。海水の成分で多いのは、酸素、水素、塩素などです。体の成分と海水の成分は、よく似ています。

もうひとつは、みなさんがお母さんのおなかの中にいたときの姿です。おなかの中で育っていくとき、最初は魚のようにやがて「えら」になる部分があるのです。その姿も、魚や両生類などとよく似た形を経て人間らしい赤ちゃんになっていきます。わたしたちが海から陸へと移ってきた進化の過程を、おなかの中でくりかえしているようにみえます。

いずれも、わたしたちの祖先が海にいたことの決定的な「証拠」ではありませんが、それをうかがわせる事実です。

もし地球上に海がなければ、おそらく生き物は、もちろんわたしたちも誕生することはなかったでしょう。海は、すべての生き物にとってのたからものなのです。

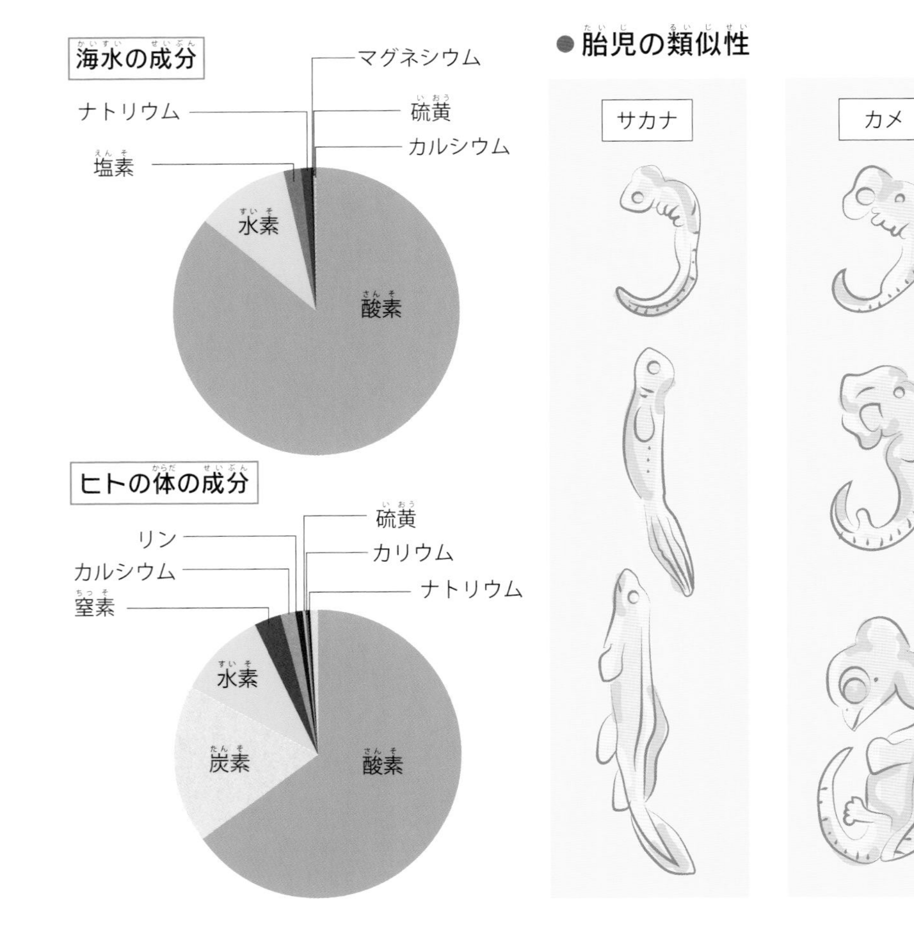

●胎児の類似性

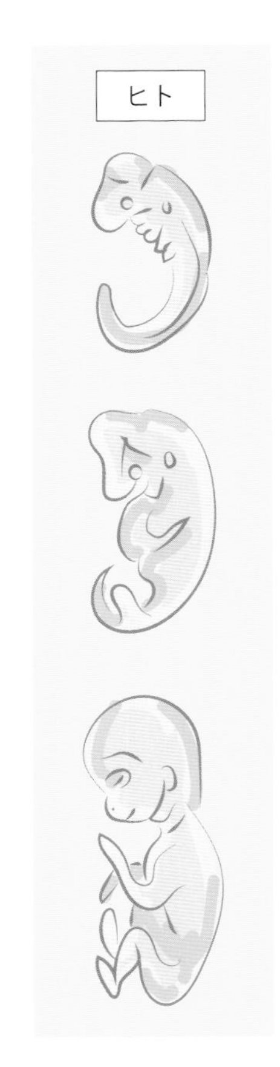

生物の大量絶滅

地球上の生き物は、むかし生き物がいなかった地球にすこしずつ増えてきたわけではない。ある時期にたくさん増え、そのほとんどが死に絶えてほろび、また、まったく別の種類の生き物たちが現れるという歴史をくりかえしてきた。そのときにいた地球上の生き物たちのほとんどが死んでいなくなってしまう現象を、生物の「大量絶滅」という。

有名なのは、いまから6600万年まえの大量絶滅だ。地球の歴史で5回目のこの大量絶滅で恐竜がほろんだ。直径が10キロメートルくらいもある巨大ないん石が、いまのメキシコのあたりに落ち、そのときに発生した熱や「ちり」などで恐竜はほろんだ。そのとき死なずに生きのびた動物が、わたしたちの祖先になった。

恐竜が地球上に現れるまえの「ペルム紀」という時代には、すでに生き物たちは陸への進出をはたしており、シダなどの植物やこん虫、両生類などの動物たちがたくさんいた。しかし、かれらも2億5000万年まえに、そのほとんどがほろんでしまった。その原因は、いまのシベリアのあたりでおきた巨大な火山噴火だったと考えられている。

生き物の大量絶滅の原因は、大規模な火山噴火や巨大ないん石の衝突といわれている。しかしそれは、生きのびた動物たちの新しい時代の始まりでもあった。

第2章

にぎやかなサンゴ礁

サンゴ礁は海の中のふしぎな場所

太陽の光がふりそそぐ明るい海中で泳ぐ色とりどりの魚たち——。熱帯の温かい海にできるサンゴ礁は、わたしたちが思い浮かべる代表的な美しい海の光景といってもよいでしょう。

ですが、サンゴ礁は、じつはとてもふしぎな場所です。ほんとうだったら、このような海に、こんなにたくさんの種類の魚たちがいるはずがないのです。

サンゴ礁が発達しているところは、きまって水がきれいで透明です。水が透明なのは、水中にただよっている小さなごみのような粒が少ないからです。ただのごみなら、魚たちにとってもないほうがよいのですが、魚たちが生きていくためにどうしても必要な小さな粒があります。それはプランクトンです。太陽からの光を受けて栄養

サンゴ礁の海　栄養の少ないはずの海に出現したオアシス

●世界のサンゴ礁の分布

● 裾礁　● 環礁　● 堡礁　● その他　（p.25 参照）

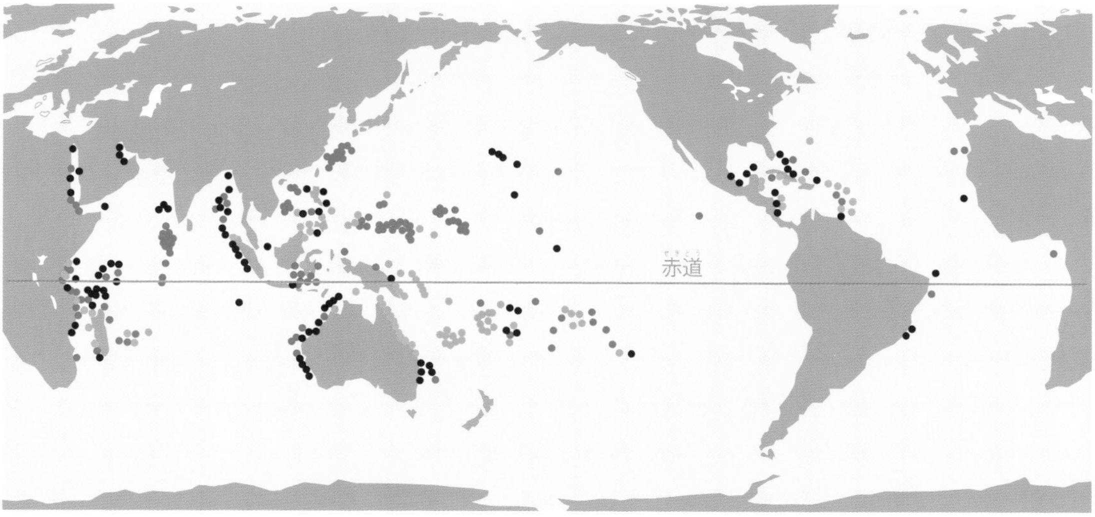

赤道

分をつくりだす植物プランクトン。植物プランクトンを食べる動物プランクトン。動物プランクトンが少ない海では、それをえさにしている魚たちは生きていけません。

えさになるプランクトンが少ない海なのに、サンゴ礁にはたくさんの種類の生き物たちが集まってきます。どうしてでしょうか。この第２章では、その秘密を探っていきます。

サンゴ礁については、第１巻でもすこし説明しました。地球温暖化や海の酸性化のために、サンゴ礁が減っていってしまうというお話です。

ここでは、サンゴ礁には、なぜこんなにすばらしい生き物たちの世界が広がっているのかというお話をしていきます。砂しかない乾燥した砂漠にも、そこにだけ水がある「オアシス」がみられます。サンゴ礁は、栄養分の少ない熱帯の海にぽっかり現れたオアシスのようなものです。サンゴ礁が海のなかでどれほど貴重なたからものなのかが、きっとわかってもらえると思います。

えさが豊富な冷たい海

サンゴ礁のおおきな特徴は、そこにさまざまな種類の生き物たちがくらしているということです。

みなさんは、サンマが漁港で船から水あげされているようすを、テレビなどで見たことがあるでしょうか。大きなあみでつるされたたくさんのサンマが、船から岸に移されています。こういう漁ができるのは、サンマだけが１か所にたくさんいるからです。たくさんのサンマが群れをつくっているから、それをとることができるのです。

サンマは、日本の近海や、さらに北の冷たい海でくらす魚です。水温の低い海には、陸にたとえると植物の肥料になるような栄養分が多くとけこんでいるため、植物プランクトンや動物プランクトンがよく育ちます。プランクトンが多いので、水は熱帯の海にくらべるとにごっています。プランクトンというえさが豊富にあるので、冷たい海ではたくさんの魚が育ちます。

ただし、水温が低いのは、生き物にとってはつらい環境なので、どんな生き物でもくらしていけるわけではありません。その環境でもだいじょうぶな生き物だけが、豊富なえさを利用して、大量に育つのだと考えられています。種類は少ないけれど、ひとつの種類の生き物がたくさんいるのが、冷たい海の特徴です。

温かい海の魚は色とりどり

温かい海の魚は、あざやかな色をしています。映画「ファインディング・ニモ」の主人公はカクレクマノミという温かい海の魚で、オレンジ色に白いたてじまの体が印象的でした。温かい地方の魚市場に行くと、地元でとれた緑や青の色あざやかな魚が並んでいます。北海道のような寒い地方の市場には、全体が黒っぽかったり白っぽかったり、あまりカラフルではない魚が多いのとは対照的です。

熱帯などの温かい海は、プランクトンが少なく、水は透明です。ですから、魚はおたがいに相手を目で見ることができます。体の色を、相手になにかを伝える手段として使えるのです。相手が自分とおなじ種類の魚かどうかを見分けたり、「ここはオレのなわばりだから、入ってくるな」とにらみをきかせたり。こうしたことは、水がに

カラフルな魚であふれる熱帯の海

サンマなどがたくさんとれる北の海

ごった冷たい海や川などではできません。

もちろん、温かい海の生き物がすべて色あざやかというわけではありませんが、サンゴ礁がたくさんの生き物たちでカラフルに見えるのには、こんな秘密があったのです。

サンゴとサンゴ礁

ここで、サンゴとサンゴ礁のちがいについてお話ししておきましょう。

サンゴとサンゴ礁は、深い関係にはありますが、まったくちがうものです。サンゴは小さな動物です。サンゴ礁は、サンゴがつくりだす地形のことです。鳥と鳥の巣の関係でいえば、鳥がサンゴで、鳥の巣がサンゴ礁です。

鳥の巣とサンゴ礁がちがうのは、鳥の巣は鳥が枝などを使ってつくりますが、サンゴ礁は、もとはサンゴの体の一部だったという点です。サンゴが自分の体の一部としてつくりだしたサンゴ礁に、サンゴ以外の生き物たちも集まってきてくらしてるのです。

サンゴは石のコップに入っている

サンゴにはいろいろな種類がありますが、ここでは、サンゴ礁をつくる「造礁サンゴ」についてお話ししていきましょう。

サンゴはイソギンチャクとおなじ仲間で、本体はやわらかい動物です。ただし、体の外側にかたい骨をもっています。わた

●造礁サンゴがつくるいろいろな群体

ミドリイシの群体

ハマサンゴの群体

したち人間は、体のまんなかに骨があって、そのまわりに筋肉や内臓がついています。このように体の内側にある骨を「内骨格」といいます。サンゴは体の外側に「外骨格」をつくります。こん虫とおなじです。サンゴは、自分の骨でできたコップの中にすんでいるようなものです。コップの中のやわらかい本体部分を「ポリプ」といいます。

一つひとつのポリプは小さなものです。種類にもよりますが、ポリプの入ったコップの大きさは数ミリメートルから1センチメートルくらいです。そして、たくさんのポリプが集まってコップがつながります。その結果、大きな岩のようなサンゴの集まりができるのです。これを群体といいます。

つまり、岩のように見えるのは、たくさんのポリプが長い時間をかけてすこしずつ増やしていった、サンゴの骨の集まりなのです。ポリプが死んで骨格を残すと、新しいポリプはその上に自分の骨格を積み増します。サンゴの種類によって、1年に数ミリメートルしか骨格が成長しないものもあれば、10センチメートル以上ものびるものもいます。

コップだけでなく、ポリプたちもつながっています。もとは1匹のサンゴが、分裂して増えていったものです。それぞれが別のサンゴですが、つながっている部分を通して栄養のやりとりもできます。

ミドリイシ、ハマサンゴなどの種類がいます。

サンゴ礁をつくらないサンゴたち

サンゴの仲間には、サンゴ礁をつくらないサンゴもいる。

身につける飾りなどに使われる赤やピンクのサンゴは、サンゴ礁をつくらない。アカサンゴやモモイロサンゴなどの種類があり、岩から赤やピンクの木がはえているようにみえる。褐虫藻（p.25 参照）と共生してないので浅い海にすむ必要はなく、水深数十メートルから数百メートルの深い海にいる。これらの骨格は造礁サンゴよりかたいので、けずってネックレスやブローチなどに加工できる。最近は、とりすぎて減っていることが問題になっている。

ソフトコーラルのように、かたい外骨格をもたないサンゴもいる。そのかわり、ごく小さな骨が体内にたくさんあり、しなやかで、かつ、あるていどしっかりした体のつくりになっている。

宝石サンゴの仲間

アカサンゴ

モモイロサンゴ

ソフトコーラルの仲間

いろいろなサンゴ礁

こうしてサンゴはしだいに大きな集団に成長していきます。そのとなりでも、やはり別の集団が大きくなっていきます。そのようにして、もはやたんなる「大きな岩」ではなく、そのあたり一帯が独特の「地形」といってもよいほどになったとき、それを「サンゴ礁」とよびます。

サンゴ礁をつくる生き物はサンゴだけではありません。サンゴの骨格は炭酸カルシウムという物質でできています。貝やウニも、おなじように炭酸カルシウムの「から」をつくります。これも骨の一種です。いろいろな動物がつくったこうした骨が海底で固まって、サンゴ礁はできあがります。

「礁」というのは、生き物の骨や「から」、それらがくだけたものが海底に積もり、波や海水の流れなどでこわれないくらいしっかりした状態になったものをいいます。サンゴが主役になってできた礁がサンゴ礁なのです。

温かくてサンゴが育つことのできる海では、海岸に近い浅い部分にサンゴが生育します。そこが島の場合、海岸にそって島をぐるりと取り巻くようにサンゴ礁ができます。このタイプのサンゴ礁を「裾礁」といいます。

もし、海底の変化や地球温暖化による海面の上昇などで島がすこしずつ沈んでいったら、サンゴ礁はどうなるでしょうか。裾礁の部分では上に上にとサンゴの骨格が上積みされ、島だけが海中に沈んでしまうことになり、中央に島がないのに周囲のサンゴ礁だけが海面から顔をだしている、輪ゴムのような円形状にサンゴ礁が残ります。これが「環礁」です。

島が沈みながら面積が小さくなって、サンゴ礁の位置が岸から数キロメートル、数十キロメートルもの遠くに離れてしまった「堡礁」というタイプもあります。

実際には、このほかにも海底の変化や気候変動などの影響が加わって、もうすこし複雑なできかたをします。

サンゴ礁ではサンゴが栄養をつくりだす

さきほど、熱帯の透明な温かい海には、えさになるプランクトンが少ないとお話ししました。ですから、たしかに熱帯の海には魚などの生き物は少ないのですが、サンゴ礁だけは別です。さまざまな種類の生き物がサンゴ礁でくらしています。ということは、だれかが栄養分をつくりだしているはずです。

サンゴ礁で栄養分をつくりだしているのはサンゴです。サンゴは、サンゴ礁のもとになる石のような骨格だけでなく、栄養分までつくりだしています。サンゴ礁にすむ生き物たちに、家も食料もプレゼントしているようなものです。

生き物の栄養の出発点は植物の「光合成」だと第2巻でお話ししました。植物が太陽の光を使って、水と二酸化炭素から栄

●サンゴ礁の類型

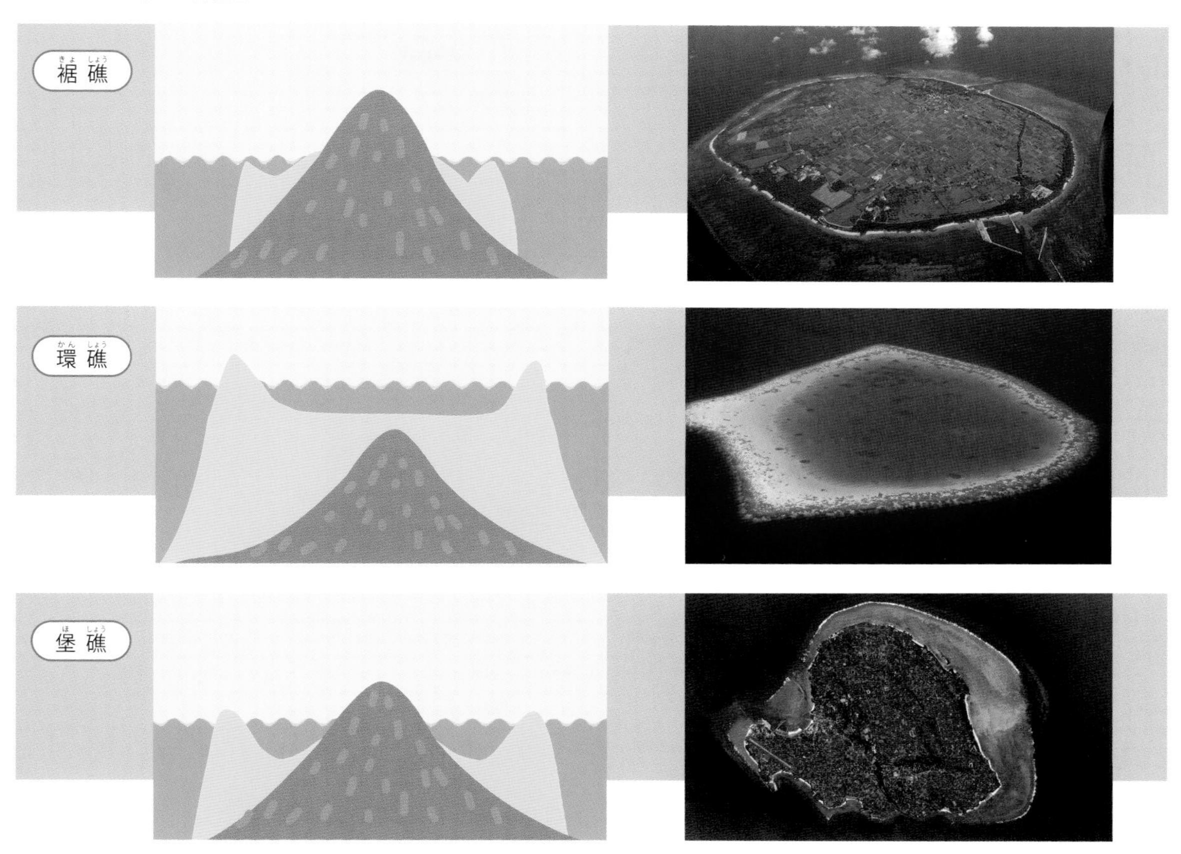

養分をつくりだしているのでした。これが光合成です。ですが、サンゴは動物です。光合成はできません。なぜサンゴが栄養分をつくれるのでしょうか。

サンゴが栄養をつくれる秘密は「共生」

サンゴが動物なのに栄養をつくりだせる秘密は、第1巻ですこしお話ししたように、サンゴが体の中で植物を育てていることにあります。その植物とは、「褐虫藻」というとても小さな植物プランクトンです。褐虫藻は「から」と動く毛をもっていて、この毛を使って泳ぎます。ですが、サンゴの体内では、「から」も毛もない状態になっています。大きさは100分の1ミリメートルほどです。

さきほどサンゴ礁の種類について説明したとき、裾礁は海岸に近い浅い部分にできるとお話ししました。「浅い」部分なのには、わけがあります。サンゴの体内にいる褐虫藻に太陽の光が届く必要があるのです。

サンゴの体内にいる褐虫藻は、届いた太陽の光を使って光合成をします。これが、サンゴ礁でくらす生き物たちの栄養分のはじまりです。サンゴ礁にも、最初の栄養をつくりだす「植物」が、たしかにいるのです。

褐虫藻は、光合成でつくりだした栄養分のうち9割をサンゴに渡してしまいます。サンゴは、これを栄養源にして生きています。サンゴは動物プランクトンも食べてえさにするのですが、もし動物プランクトンがいなくても生きていけます。褐虫藻から栄養分をもらえるからです。

一方の褐虫藻にも、サンゴの体内にいる利点があります。まず、かたい石のような骨格で守られているサンゴの体内にいれば、敵におそわれることもなく安全です。サンゴが生きるために使ったエネルギーの「かす」は、褐虫藻の栄養分になります。ちょうど植物の肥料のようなものです。光合成で使う二酸化炭素も、サンゴからもらうことができます。

こうして、サンゴと褐虫藻は、おたがいに助け合ってくらしています。ちがう種類の生き物がいっしょにくらしていることを「共生」といいます。おたがいが利益を得ているサンゴと褐虫藻のような関係を、とくに「相利共生」といいます。

サンゴがみんなのえさを放出する

栄養分の少ない熱帯の温かい海で、サンゴ礁にだけたくさんの生き物が集まる秘密がわかりました。そこには、サンゴと褐虫藻の共生でつくりだされる栄養分があった

●サンゴと褐虫藻の共生

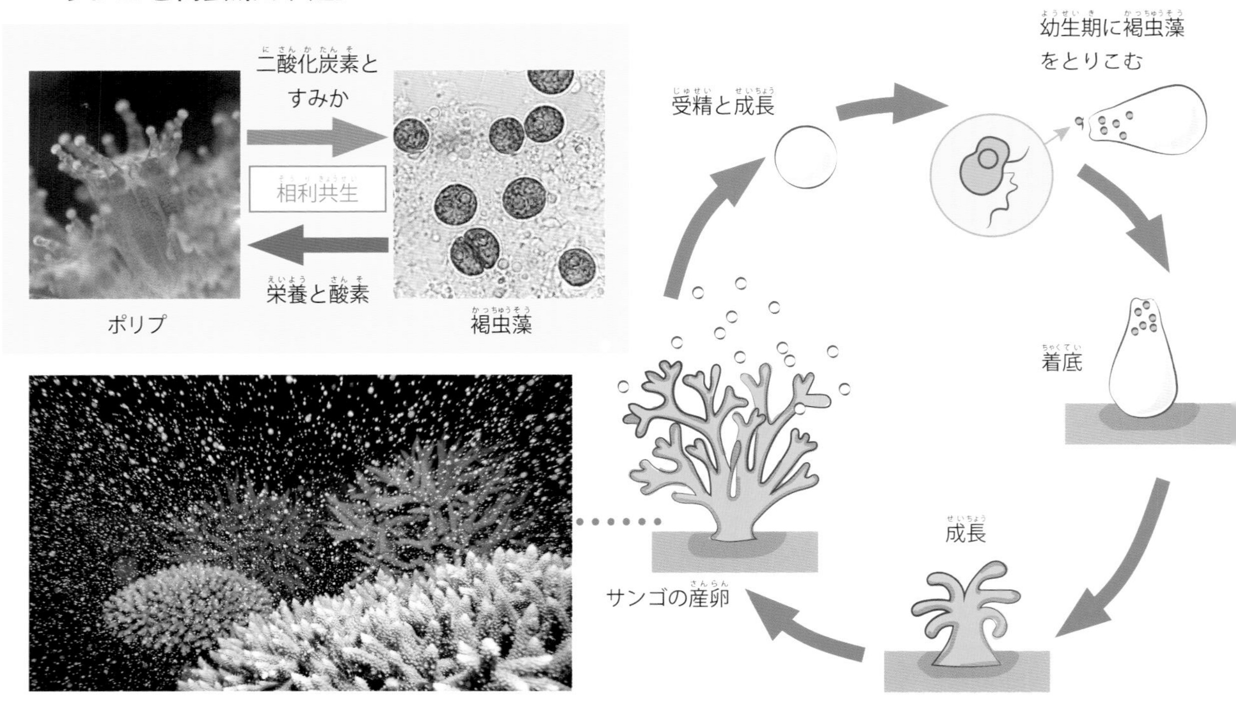

のです。

サンゴは褐虫藻からもらった栄養分のうち半分を、自分が生きていくためのエネルギーとして使います。そして残りの半分が、つぎのようなしくみで、ほかの生き物たちのえさになります。

サンゴは、体の表面に粘液をだします。粘液とは、ねばねばした液のことです。

海中には、ごく小さな砂粒などがごみとしてただよっています。これがサンゴの体に積もると、困ったことになります。太陽の光が届きにくくなるので、褐虫藻の光合成が進みにくくなります。そのため、サンゴは体の表面に粘液の膜をつくっておき、そこに砂粒などがついたら、粘液ごと捨てて、体の表面をきれいにしておくのです。

サンゴは、褐虫藻からもらう栄養の半分を、この粘液をつくるのに使うのです。粘液には栄養がたくさんふくまれています。これを、栄養分がもともと少ない海にすんでいる生き物たちが見逃すわけはありません。

サンゴの体をつついて粘液を食べるカニの仲間や魚がいます。海中に流れでた粘液の栄養分をもとに、バクテリアというごく小さな生き物が増え、それをえさにして動物プランクトンが増えます。また、粘液は、まわりのバクテリアや動物プランクトンなどを吸いつけ、栄養分をいっそう濃くしながら海中をただよいます。それもえさになります。こうして、サンゴはまわりの生き物たちに食料を与えているのです。

サンゴ礁の貴重な独特の生態系

サンゴ礁の生き物たちは、サンゴと褐虫藻がつくった栄養分を動物プランクトンなどが食べ、それを小魚が食べ、その小魚をもっと大きな魚が食べるという「食べる－食べられる」の関係にあります。この関係を「食物連鎖」といいます。ここでくらす生き物たちは食物連鎖でつながっているわけです。

●サンゴ礁の食物連鎖

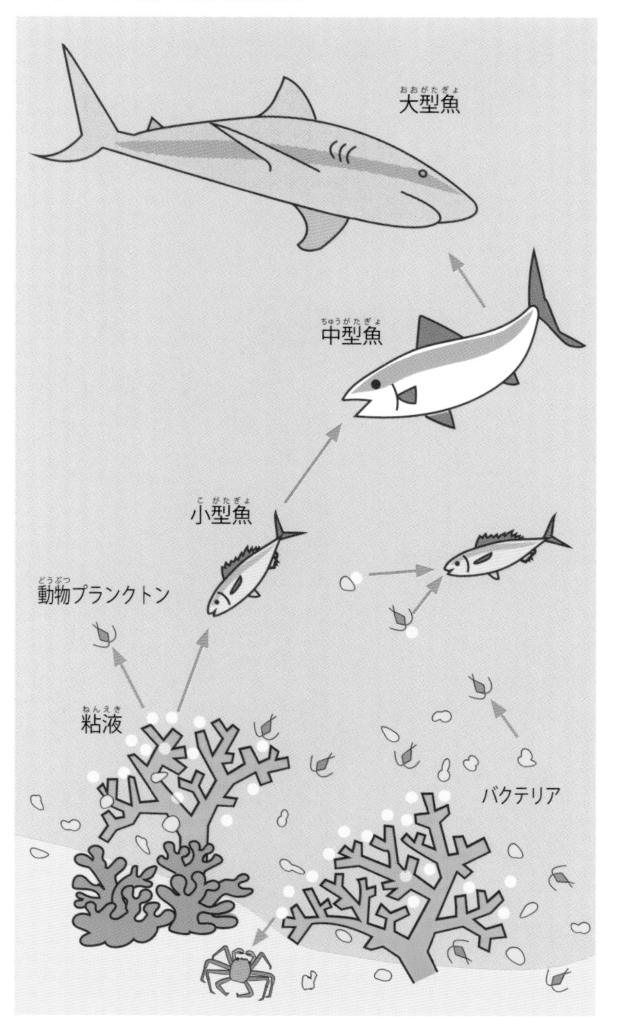

それだけではありません。ごつごつした岩のようだったり、まるで海中の林のようだったりするサンゴの形は、生き物たちの隠れ家にもなります。

さきほどからお話ししているように、サンゴが育つ熱帯などの温かい海には栄養分が少なく、水は透明です。サンゴ礁だけは、そのまわりに栄養分が豊富にある「海のオアシス」なのです。

このような生き物と生き物の関係、生き物とそれを取り巻く環境の関係をすべてまとめて「生態系」といいます。

もともと栄養分が少ない海なのに、サンゴ礁のまわりにだけは生き物が集まり、しかも、ひとつの種類の生き物がたくさんいるのではなく、いろいろな種類が集まってきます。サンゴ礁には、こういう独特の生態系ができあがっています。

サンゴが主役となってできたサンゴ礁には、えさもあるし、サンゴが複雑なでこぼこの地形をつくってくれているので、生き物たちがかくれる場所もたくさんあります。そこに、色とりどりの魚たち、貝やタコ、エビにウニ、ウミガメやウミヘビまで集まってきます。わたしたちがサンゴ礁の風景を見て「わーっ、きれい！」と思うのは、生き物はもちろんですが、そのめずらしくて貴重な生態系全体に感動していることになるのです。

日本のサンゴ礁

サンゴがよく育つのは、熱帯から亜熱帯にかけての、水温が 25 ～ 28 度くらいの温かい海です。小さな島がたくさんあれば浅瀬も多く、サンゴ礁ができやすくなります。この条件を満たす太平洋の西側、インドネシアからフィリピンにかけての海域は、世界的にみてもサンゴ礁がとくに多いところです。

そのあたりから日本に向かって、「黒潮」という強い海流が流れてきます。そのおかげで、日本では沖縄から九州北部にかけて、そして小笠原や紀伊半島でもサンゴ礁がみ

● 日本のサンゴの分布

（数字は確認されたサンゴのおおよその種類数）

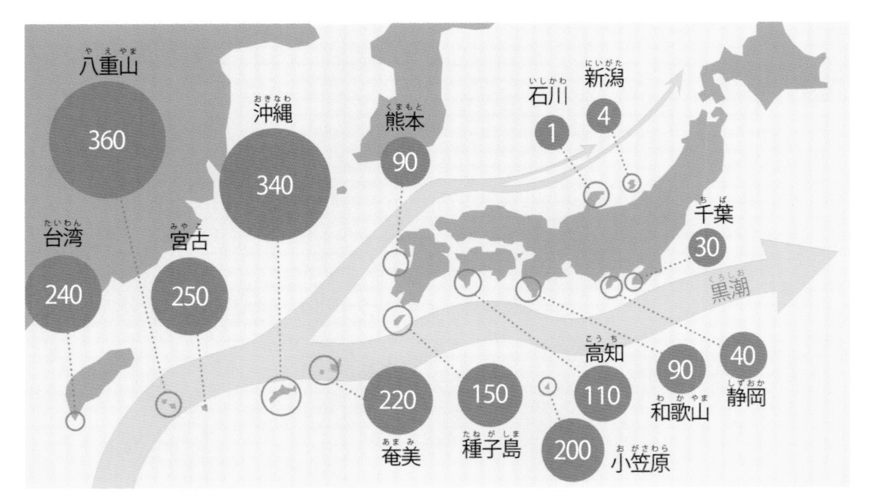

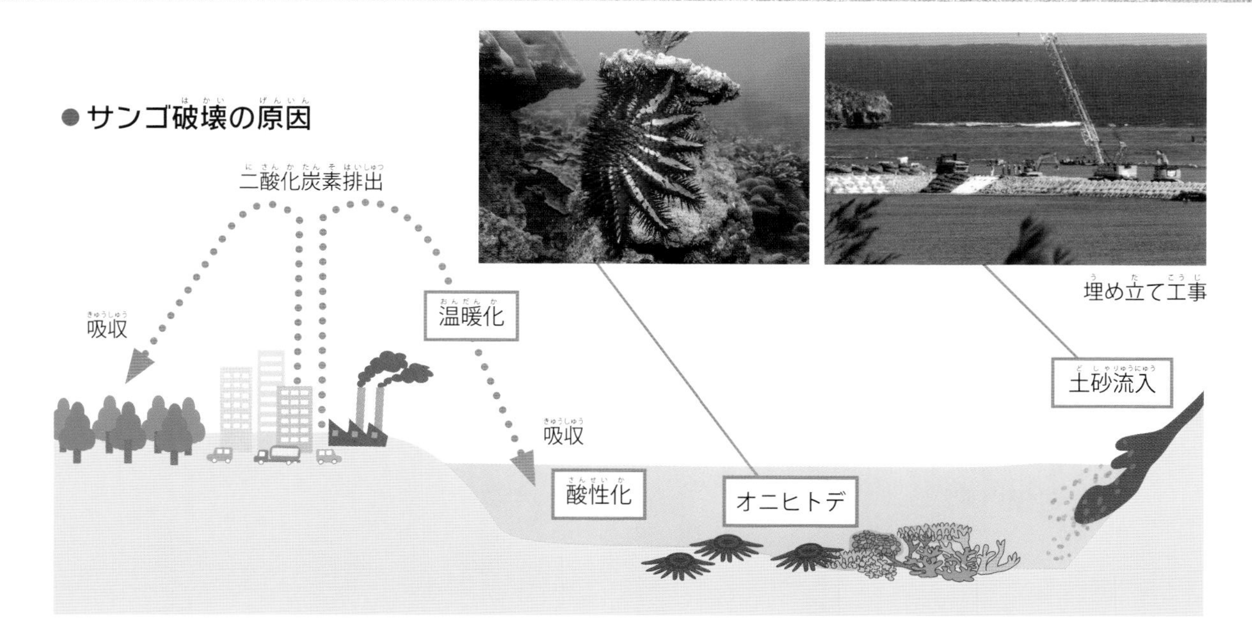

られます。日本には約400種類もの造礁サンゴがいると考えられています。日本の海は、赤道からかなり離れているのにサンゴ礁がみられるめずらしい海です。

サンゴ礁ができるほどではありませんが、サンゴそのものは、もっと北の千葉県や新潟県の海でも確認されています。

サンゴの敵

もしサンゴが死んでしまったら、そこにはサンゴの骨格でできた岩のような地形は残りますが、もう栄養をつくりだすサンゴがいないのですから、生き物たちは集まってきません。生態系がこわれてしまったのです。

サンゴの敵には、いろいろあります。そのひとつはオニヒトデです。オニヒトデはサンゴにおおいかぶさって消化液をだし、サンゴをとかしてえさにします。大発生すると、広い範囲のサンゴが食べられてしまいます。大発生する原因は、よくわかっていません。

もうひとつは、第1巻でお話しした地球温暖化や海の酸性化です。夏の水温が高くなりすぎてサンゴが死んでしまったり、酸性化で骨格をつくりにくくなったりするのです。

さらに、陸地で木をたくさん切ったり、森林を切りひらいて畑にしたりすることも、サンゴに悪影響を与える場合があります。土が海に流れこんで水がにごったり、土がサンゴに降り積もったりすると、サンゴに太陽の光が届かないため体内の褐虫藻の光合成ができなくなってしまいます。

考えてみると、地球温暖化や海の酸性化は、わたしたちが便利な生活をするために石炭や石油などを燃やして二酸化炭素をたくさんだしていることが原因ですし、木を切って使い、畑をつくるのもわたしたちです。サンゴにとってもっとも手ごわい「敵」は、わたしたち人間なのかもしれません。

第3章

深海の生き物たち

深海は別世界

生き物にとって光合成が大切だというお話を、これまでしてきました。太陽の光のおかげで地球上にはさまざまな種類の生き物があふれています。

では、反対に日光の届かない海の深いところには、どんな生き物がいるのでしょう

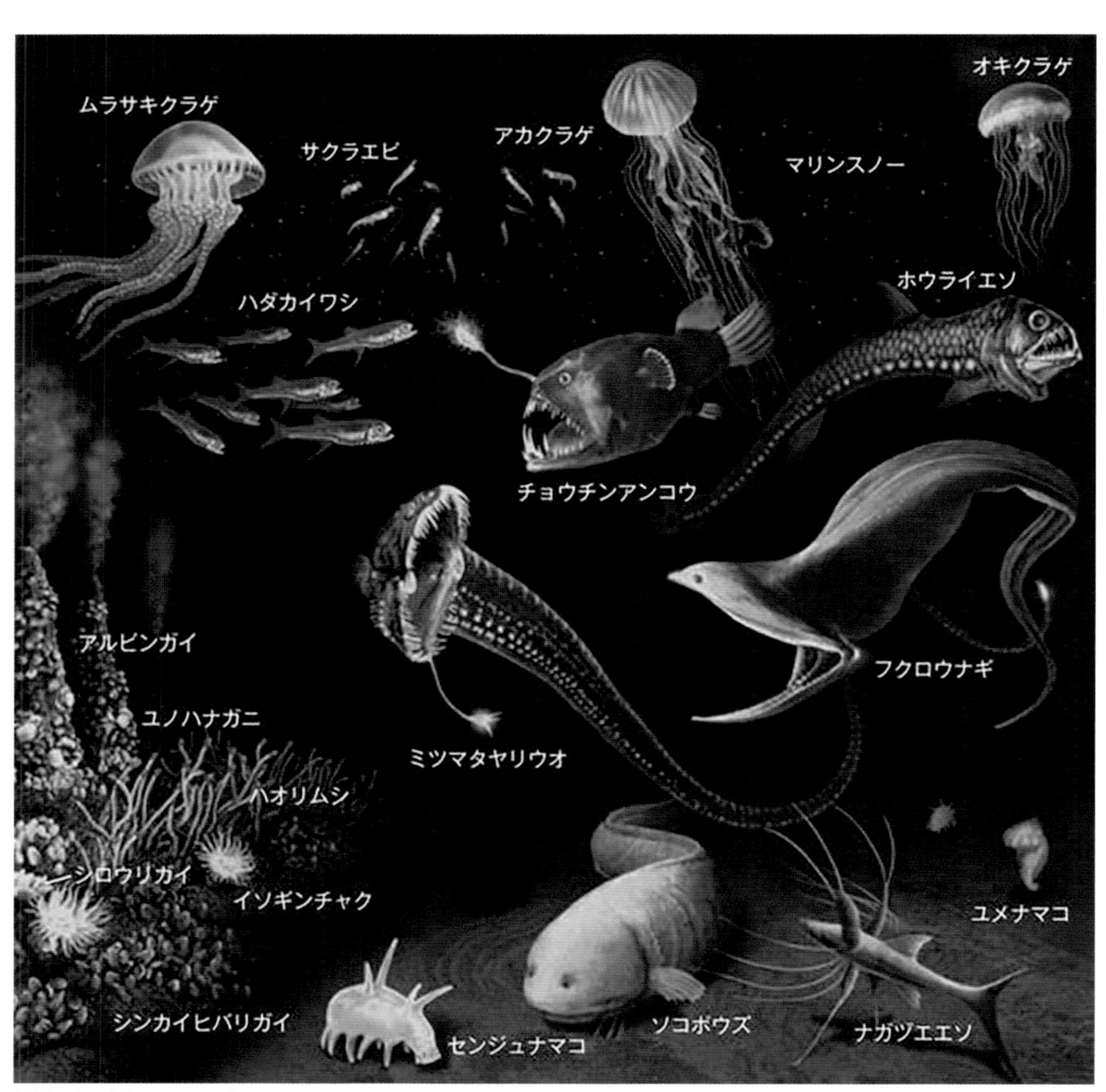

深海の生き物（イメージ図）

か。生き物などいないさびしい世界なのでしょうか。

そんなことはありません。深海には、その「深海」という環境になじんだ生き物たちがくらしています。ただし、陸やサンゴ礁の生き物たちとは、ずいぶんようすがちがいます。

深海は生き物たちにとって、とてもきびしい特殊な環境です。そこには光合成とはちがう生命のしくみもあるのです。これから、深海の生き物についてお話ししていきます。こんなきびしい環境でも生きていける生き物がいるなんて、ちょっとおどろきです。そのお話にはいるまえに、深海とはどんな世界なのかを説明しておきましょう。

深海に光は届かない

深海は、まっ暗な世界です。というよりも、太陽の光が届かずにまっ暗になっている海の深い部分を「深海」といいます。

太陽の光には、にじがでたときに見える赤や緑、青、紫などのさまざまな色がまじっています。これが海にさしこむと、水にじゃまされて先に進めなくなります。その進みにくさは、色によってちがいます。赤い色はすぐにじゃまされてしまいますが、青い光はそれより深くまで届きます。海中が青く見えるのは、そのためです。

それでも深さが200メートルくらいになると、どの色の光もほとんど届きません。これより深い部分が「深海」です。

● 海の深さ・陸の高さ

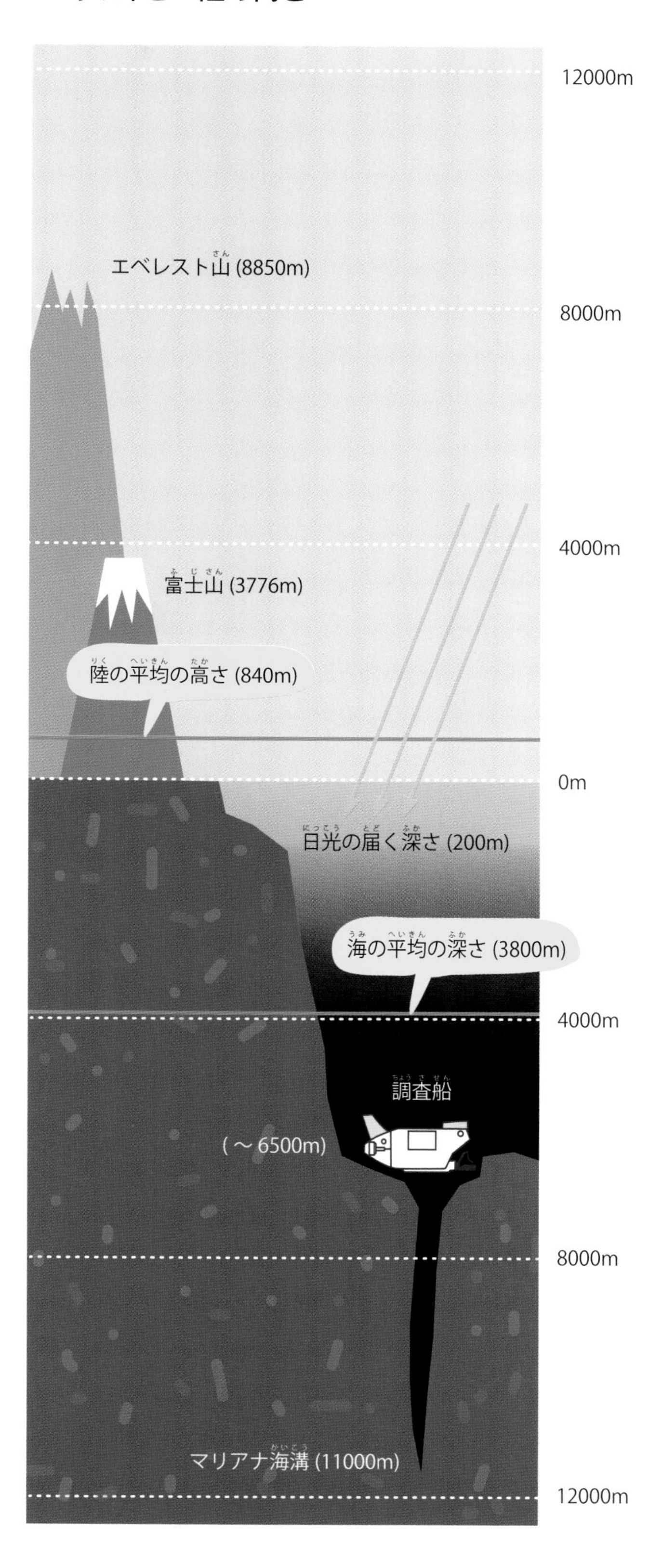

深海にすむ生き物のなかには、ほんのわずかな光でもキャッチできる特別なしくみの目をもつものがいます。キンメダイやツノザメの仲間などは、目に入ってきた光を目の中で反射させて有効に使っています。チョウチンアンコウのように、自分で光をだす魚もいます。

氷のように冷たく、強い力もかかる

海の水温は、深くなるほど低くなります。だいたいどこの海でも、水深2000メートルくらいより深いところは2～4度のほぼ一定の水温になります。海の表面の水温は、熱帯の温かい海では30度くらいにもなりますが、それでも水深2000メートルくらいになると、これくらいに下がってしまうのです。真水なら、もうすぐ氷になってしまいそうな冷たさです。

海中の生き物には、そこより上の部分にある水の重さが全部のしかかるので、深くなればなるほど、その場所にいる生き物をまわりから押す力、つまり「圧力」が高くなります。まわりから、つねにとても強い力がかかっているのです。

水深10メートルでは、1平方センチメートルの面積に、それより上にある水による1キログラムの圧力がかかっています。海の平均水深は約3800メートルですが、これほどの深海になると、1平方センチメートルあたり380キログラムもの重さが乗っかっていることになります。1平方センチメートルといえば、たてとよこがそれ

● 深海の生き物の知恵

ヒカリキンメダイ

ツノザメ

シーラカンス

ダイオウグソクムシ

●マリンスノー

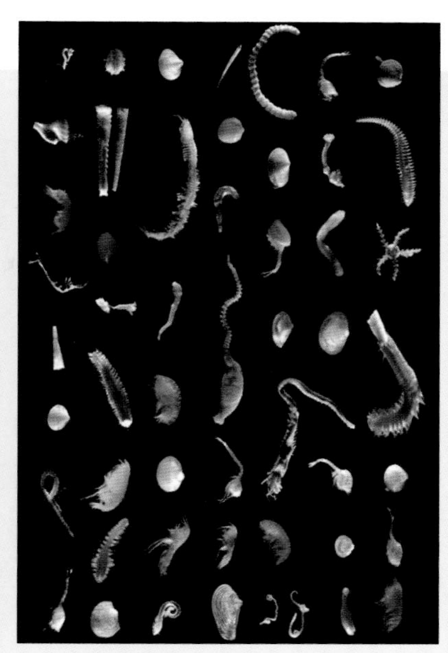

マリンスノーはプランクトンその他の死がいやふん。海底の生き物(右の写真=ほぼ実寸)のエサになります。

ぞれ1センチメートルの四角。指のつめくらいの面積です。こんな小さな面積におとな何人分もの重さに相当する力がかかり、この強い力が深海の生き物たちを四方八方から押しつけているのです。

海中には「雪」が降っている

海の生き物たちが生きていくための栄養の出発点は、太陽の光が届くところで植物プランクトンがおこなう「光合成」でした。それを動物プランクトンが食べ、それを小さな魚などが食べ、その魚をもっと大きな魚が食べる……という「食物連鎖」で、海の生き物全体に栄養がいきわたります。

ところが、深海には太陽の光が届きません。ですから、植物プランクトンもいません。これでは、最初の栄養をつくりだすことができません。

まっ暗な深海にライトをあてて撮影すると、白い雪のようなものが写ります。「マリンスノー」とよばれる小さな粒です。「マリン」は海、「スノー」は雪のことですから、まさに海中の雪です。

マリンスノーの正体は、海の浅いところで光合成をしていた植物プランクトンや動物プランクトンの死がい、動物プランクトンのふんなどです。これが、植物プランクトンが海中にだしたねばねばした液ともいっしょになり、細かい砂粒などもまじりながら1日に1000メートルくらいの速さで沈んでいきます。

ですから、このマリンスノーは栄養のかたまりで、それを動物プランクトンなどがえさにしています。そこからさきは、ふつうの食物連鎖です。マリンスノーのおかげで、太陽の光が届かない深海でも、生き物たちはくらしていけるのです。

クジラに群がる生き物たち

深海でくらす生き物たちのえさは、マリンスノーだけではありません。まとまったえさが、いちどに深海の海底に落ちてくることがあります。それは動物の死がいです。カニやエビ、クラゲなどの死がいが、ほかの生き物のえさになるのです。

この死がいがとくに大きな場合は、何十年にもわたって、そこにたくさんの生き物が集まってくらしていることがあります。その代表的なものがクジラが死んだ場合です。クジラの死がいのまわりでくらす生き物たちの集まりを「鯨骨生物群集」といいます。「鯨」は「くじら」です。死んだクジラに肉があるときだけでなく、骨になっても、そのまわりにまだ生き物たちが集まってきます。

最初はまず肉を食べる

死んで海底に沈んだクジラに最初に集まってくるのは、その肉を食べる生き物です。ヌタウナギやカニなどが集まることが確認されています。数か月から数年で肉は食べつくされてしまうようです。

肉がなくなると、こんどは骨に生き物がくっつきます。よく海釣りのえさにする細長いゴカイの仲間の「ホネクイハナムシ」は、まるで骨の中に根をのばした植物のようにクジラの骨にくっついています。この根のような部分から骨の栄養分を吸収すると考えられています。動物なのに、土にはえた植物のようなくらしかたをしているわけです。死んでから10年たったクジラの骨からも、ホネクイハナムシがみつかっています。

● 鯨骨生物群集

クジラは海底に沈んで深海生物の食べ物になる。

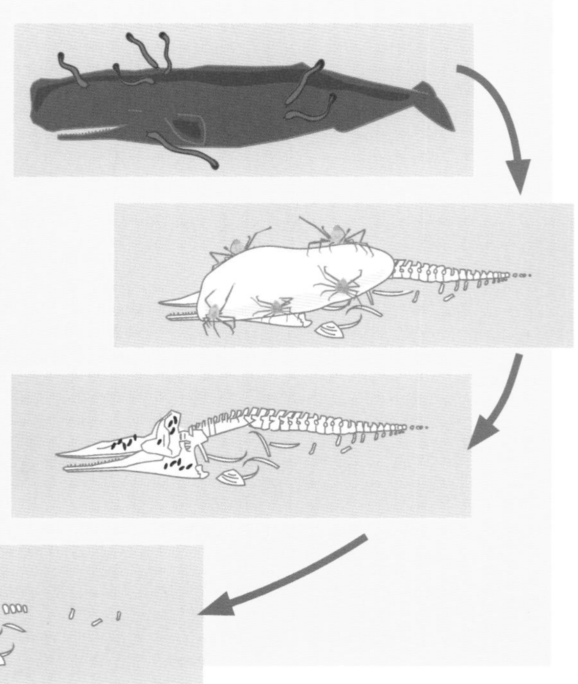

光合成の代わりに死がいを使う

海中で死んだ動物の体は、目に見えない小さな微生物によって分解されていきます。海水に酸素がたくさんとけている海の浅いところでは、酸素を使って二酸化炭素や水などに分解されます。

酸素が少ない深海では、酸素を使わない別のしかたで微生物による分解が進みます。分解してできるのはメタン、アンモニア、硫化水素などの物質です。硫化水素は、わたしたちの生活ででる汚れた下水に特有のいやなにおいの原因でもあります。

深い海底に沈んだクジラの死がいも、この微生物で分解されていきます。このとき硫化水素が発生します。酸素が少なく硫化水素が多い水中には、硫化水素がもつエネルギーを使って二酸化炭素から栄養分をつくれる微生物がたくさんいます。海の浅いところにいる植物プランクトンは、太陽の光を使って栄養分をつくりだしますが、その代わりに硫化水素を使うわけです。これを「化学合成」といいます。

とくに目立つのは、イガイという二枚貝の仲間です。クジラの骨に、びっしりとはりついています。イガイの体内には、この微生物が入りこんでいます。イガイは微生物からもらった栄養分で生きているのです。よくできたしくみです。

クジラの肉や骨に栄養分がほとんどなくなっても、しばらくは微生物が硫化水素を使って栄養分をつくりだしてくれます。そのため、クジラが死んで数十年もの長いあいだ、死がいのまわりで生き物たちはくらしていくことができるようです。

●光合成に代わる栄養素生成のしくみ（イガイの場合）

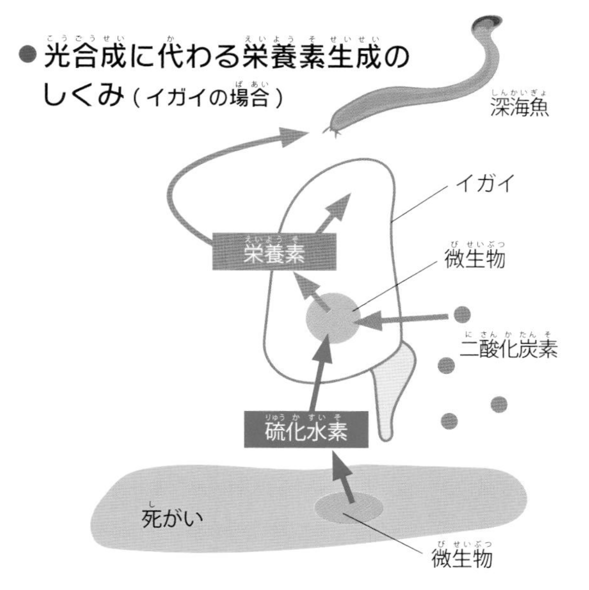

シロウリガイ（深海にすむイガイの仲間）

イガイの仲間は、海の浅いところにもいます。西洋料理によく使われるムール貝も、その仲間です。浅いところにすんでいるイガイの体内には、硫化水素を使う微生物はいません。ごみとなって海をただよう木やクジラなどの死がいにくっついたイガイが深海に沈み、この微生物を利用できるようになったイガイだけが、そのなかから生き残ったのだと考えられています。

「硫化水素」は海底からもわきだす

硫化水素は猛毒です。わたしたちが硫化水素のガスを吸うと、その量によっては死んでしまうこともあります。温泉のなかには「いおう」のにおいがするものがありますが、これはじつは「いおう」のにおいではなく、「いおう」と水素が結びついた硫化水素のにおいです。温泉の場合は、硫化水素の量が少ないので体に害はなく、あの独特のにおいで温泉特有のよい気分になれるわけです。

わたしたちが行くのは陸の温泉ですが、深海の海底からも温泉はわきだしています。「熱水噴出孔」です。第1章で、地球に生命が誕生したかもしれない場所として、すこしお話ししました。ここでは、この熱水噴出孔に集まる生き物たちの化学合成の生態系についてお話ししていきましょう。

400度のお湯がわきだす熱水噴出孔

熱水噴出孔からわきだす熱水の温度は400度にもなります。海底の割れ目からしみこんだ海水が、海底の下にあるとけた熱い岩石、つまり「マグマ」に温められるのです。

● 熱水噴出孔と硫化水素

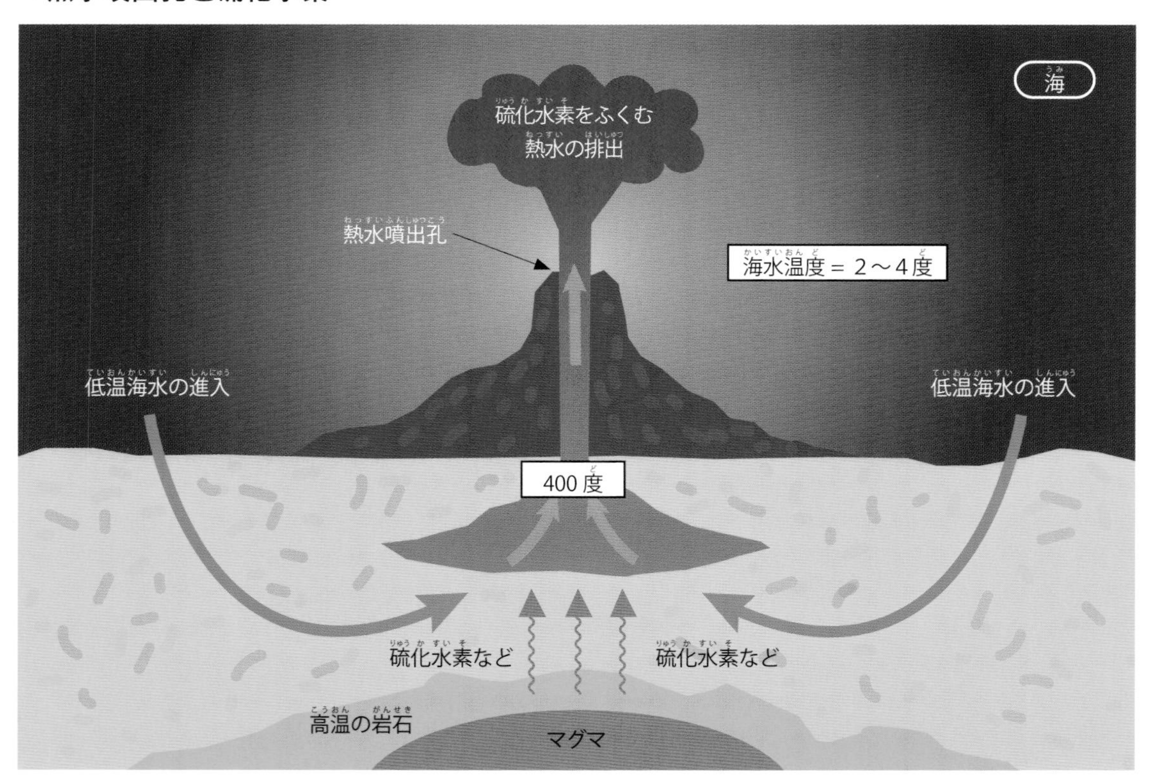

しんかい 6500

深海は超高圧なので、ふつうの潜水艦ではたどりつけない。圧力でつぶれてしまうからだ。人が乗って安全に深海を観察するには、高圧に耐えられる特殊な調査船が必要だ。

海洋研究開発機構の有人潜水調査船「しんかい 6500」は、6500 メートルの深さまでもぐっていける調査船だ。1989 年に完成した。長さは約 10 メートル。じょうぶなチタン合金でできた直径 2 メートルの球形の部屋に 3 人が乗り組める。

部屋には厚さ 14 センチメートルの透明な樹脂でできた窓もある。窓から外を観察するだけでなく、テレビカメラで撮影したり、機械の腕で生き物をつかまえたりすることもできる。

浮き沈みの方法は単純だ。おもりをつけてじょじょに沈み、そのおもりを切りはなして捨てることなどで浮き上がる。

このほか、人が乗らない無人探査機もある。海上の船とつながったケーブルを通して船上から操作するタイプと、船から切りはなされて探査機だけで動き回るタイプがある。

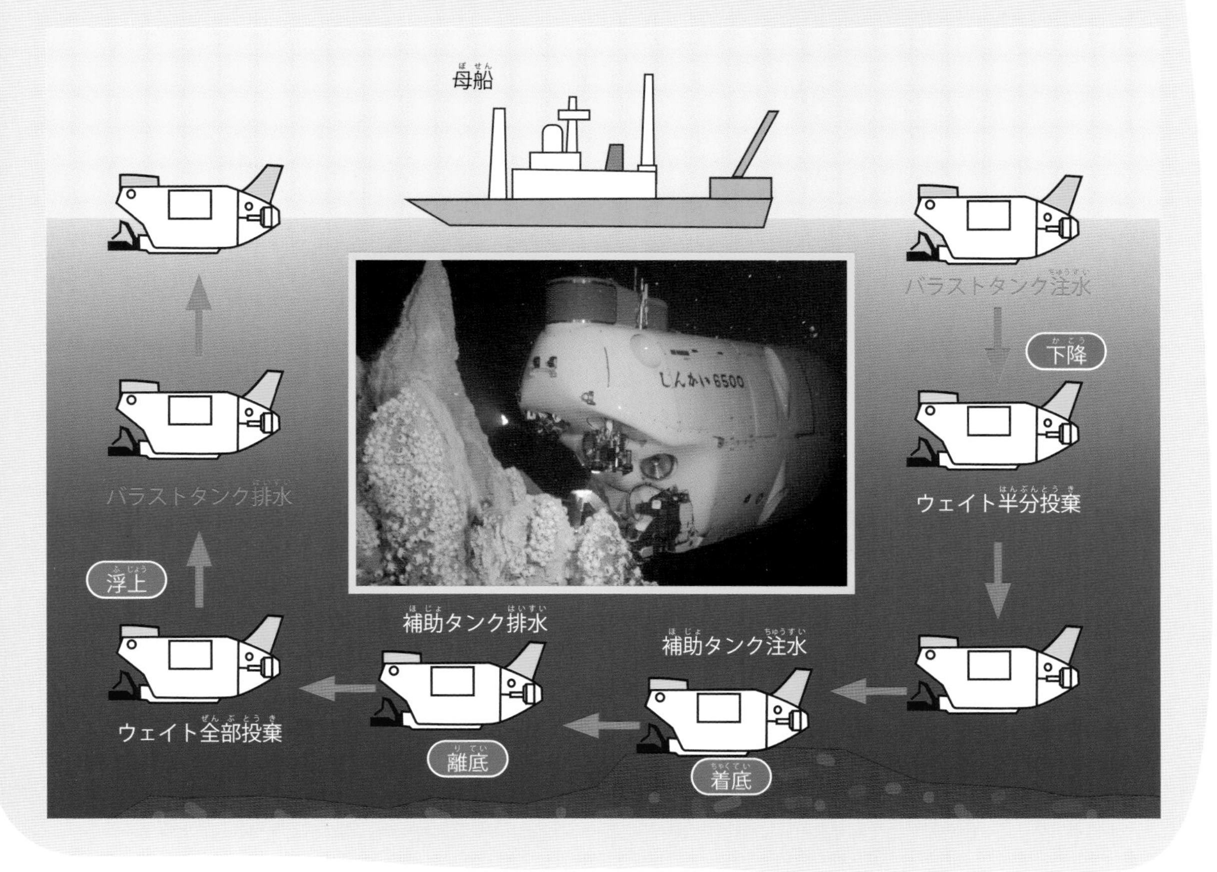

わたしたちの身のまわりでは、水は100度になるとすべて水蒸気に変わってしまうので、「400度の熱水」はありえません。ですが、深海では、とても高い圧力があらゆるものにかかります。そのため液体の水が水蒸気になれず、400度でも水は液体のまま、海底の岩の割れ目からわきだしてきます。

この熱水は、海底下で温められながら、まわりの岩石の成分をとかしこみます。そのため、わきだした熱水には、硫化水素のほか鉄や銅、カリウム、カルシウムなどの成分がふくまれています。

深海の水温は2〜4度くらいなので、ふきだした熱水はすぐに冷やされます。温度が下がると、熱水にとけきれなくなった成分が固まってでてきます。これがふきだし口のすぐそばに降り積もりつづけ、海底から上に向かってつきだした長い「えんとつ」のような形になっている場合もあります。このえんとつは「チムニー」ともよばれています。英語で「えんとつ」のことです。

熱水にふくまれている硫化水素が海水にとけている銅や鉄などの金属と反応すると、小さな黒い粒がたくさんできるので、その熱水は黒く見えます。まるで、えんとつの先から黒い煙が立ちのぼっているようです。

●熱水噴出孔の黒煙

硫化水素が金属に反応し黒い熱水（ブラックスモーク）がふきだす。

地球をおおう「プレート」

地球の表面は、板のような十数枚の岩でおおわれている。この板のような岩を「プレート」という。海底もプレートだし、大陸もプレートの上に乗っている。

太平洋の海底の大部分は「太平洋プレート」だ。太平洋プレートは、北西の向きに年間10センチメートル近い速さで動いている。日本列島は「ユーラシアプレート」「北米プレート」というふたつのプレートの上に乗っていて、動いてきた太平洋プレートは、これらの下にもぐりこむ。プレートがプレートの下にもぐりこむ場所では大地震が発生しやすい。2011年3月に東日本大震災をおこした大地震も、北米プレートの下に東からきた太平洋プレートがもぐりこんでいる場所でおきた。

太平洋や大西洋、インド洋などの深海には、海底火山が線状につながった「海嶺」がある。海底は、そこからわきだしたマグマが左右に分かれて広がってできた。熱水噴出孔は、この海底火山の近くに多い。

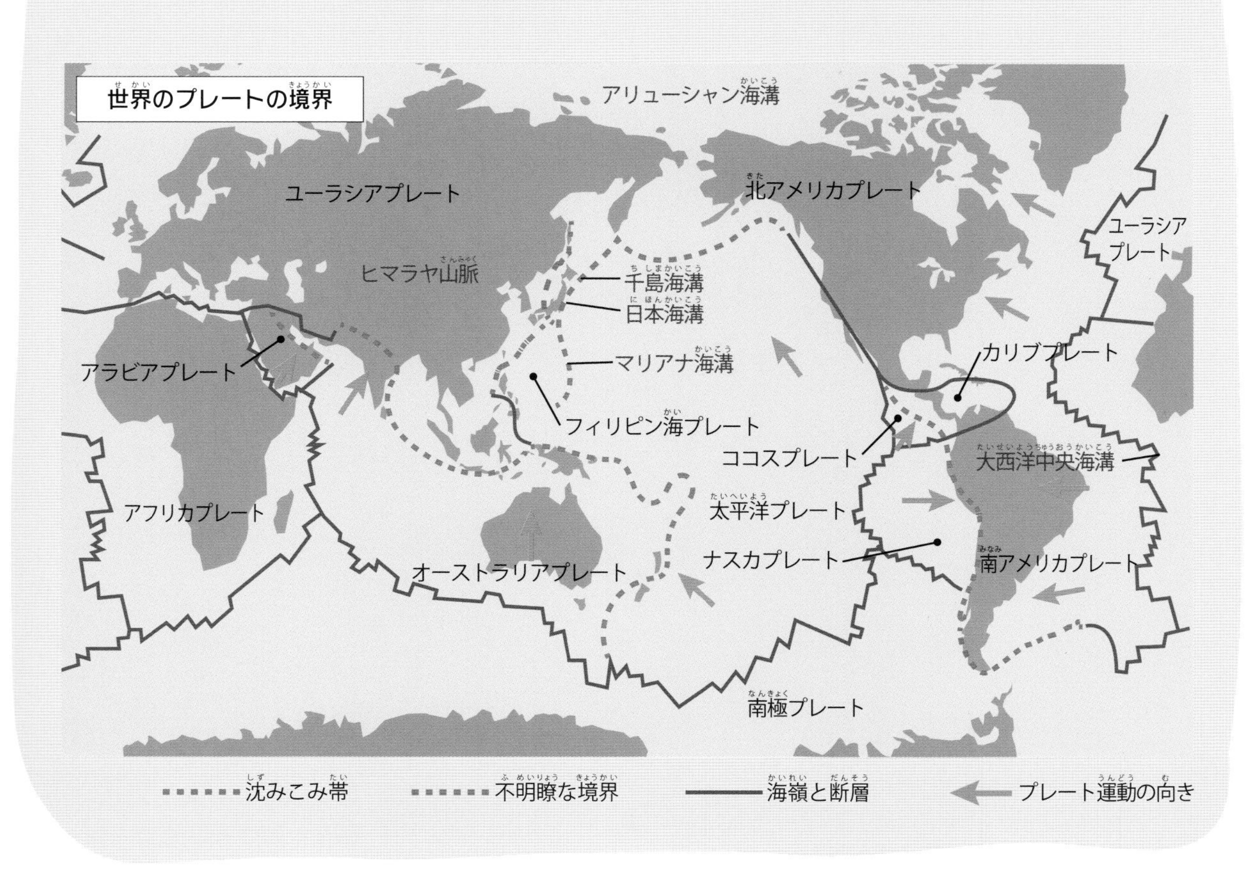

熱水の硫化水素が生き物たちを支えている

さきほど鯨骨生物群集のところで、肉と骨の栄養分がなくなっても、硫化水素を使ってつくりだした栄養でくらす生き物のお話をしました。熱水にふくまれている硫化水素でもおなじことです。

チムニーからふきだす水が熱くても、まわりの水はとても冷たいので、生き物は自分に適した水温を選んで、そこでくらすことができます。

白いからをもった二枚貝のシロウリガイは、呼吸のために使う「えら」に、硫化水素を使う微生物を住まわせています。微生物がつくりだした栄養分をもらうためです。そして、硫化水素が多い海底のどろの中にあしを差し込み、微生物に硫化水素を運んでやっています。ゴエモンコシオリエビは、自分のおなかに生えたたくさんの毛に微生物を飼っていて、それをえさにします。

海底には、熱水噴出孔とは別に、あまり熱くない海水がふきだす場所もあります。この海水にメタンというガスがとけこんでいると、メタンをエネルギー源にして栄養

● 熱水噴出孔周辺の生き物

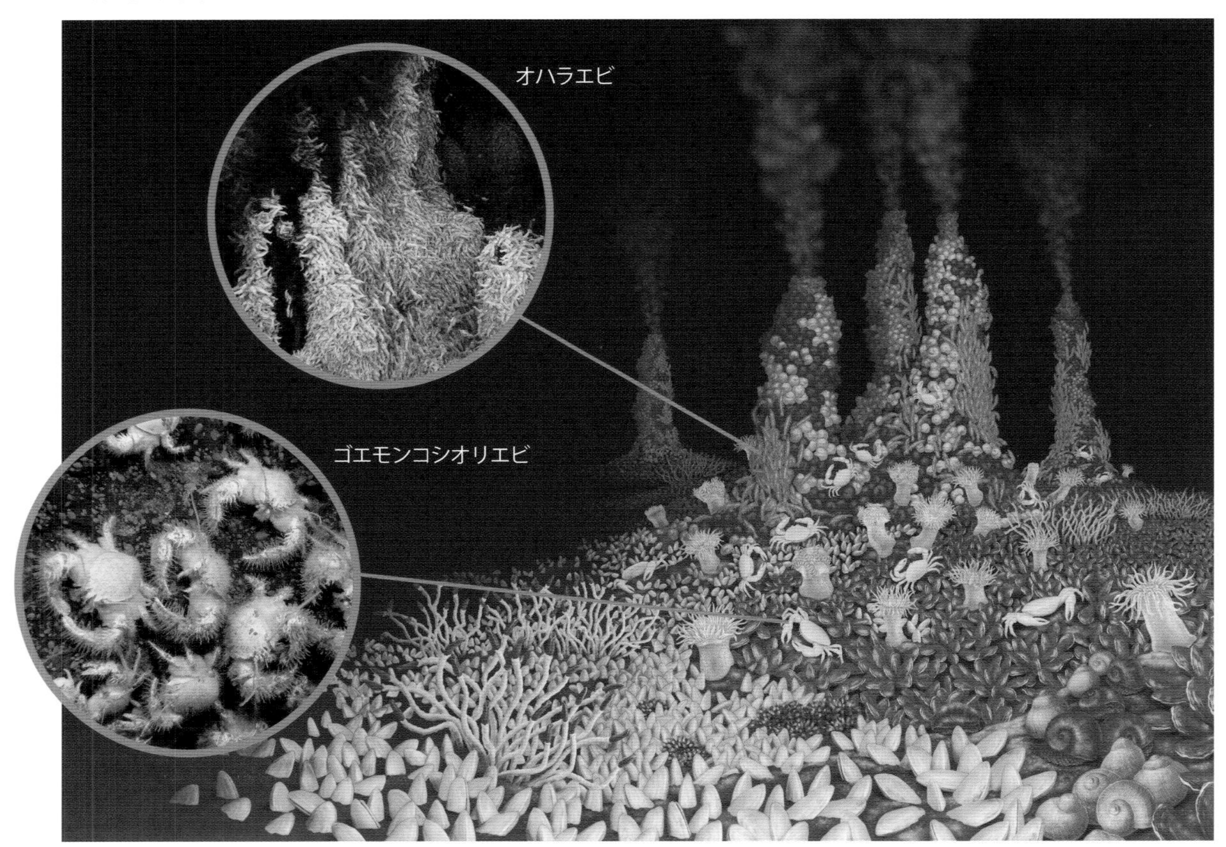

をつくりだす微生物が集まってきます。この微生物に栄養分をもらって、シロウリガイやハオリムシなどの生き物が群れをつくってくらしています。

わたしたちは酸素を使って呼吸し、光合成が生き物のあたりまえの姿に思えるかもしれませんが、けっしてそうではありません。深海では、まったくちがう生き物たちがくらしています。生き物の進化からみると、かれらのほうが先輩なのかもしれません。このさまざまな生き物たちが、みんなわたしたちの仲間なのです。

熱水鉱床

海底から熱水がふきだす熱水噴出孔のような場所では、役にたつ金属を多くふくむ岩石がよくみつかる。ふきだした熱水が急に冷えて、ふくまれていた金属がとけきれなくなってその場に積もったものだ。役にたつ岩石が1か所に集まったものを「鉱床」という。海底からふきだす熱水のおかげでできる鉱床が「熱水鉱床」だ。

熱水鉱床の岩石には、銅や鉛、金や銀、わずかな量で工業製品の性能をよくするために役だつ金属「レアメタル」もふくまれている。これらを取ってきて使えればよいのだが、海底から取ってくるには多くの費用がかかるので、これらの金属がじゅうぶんに濃くふくまれていて高く売れないと、取ってくる意味がない。日本の近くにも熱水鉱床はあるのだが、まだ実際には使われていない。このほか、海底には、マンガンやコバルトの金属を多くふくむ岩石が集まっている場所もある。

図版出典（敬称略）

第１章　わたしたちは海からやってきた

P.4　●地球の誕生
画像提供：Shutterstock
●マグマオーシャン
画像提供：Corey A Ford ⓒ 123RF.COM
●海の誕生
画像：ⓒ JAMSTEC

P.5　●カンブリア爆発
画像提供：Shutterstock
●こん虫の上陸
画像提供：Getty Images
●せきつい動物の上陸
画像提供：imagenavi
●恐竜の世界
画像提供：Shutterstock
●人類登場
画像提供：Esteban De Armas ⓒ 123RF.COM

P.6　●海ができるまで
参考資料：日本海事広報協会 HP(海と船なるほど豆事典)

P.8　●生命誕生のなぞをさぐる
・原始生命体 (イメージ)
画像提供：Rostislav Zatonskiy ⓒ 123RF.COM
・落雷がきっかけとする説
写真提供：フォトライブラリー
・海底の熱水噴出孔周辺で生まれたとする説
写真：NOAA Photo Library
・宇宙から飛来したとする説
写真提供：フォトライブラリー
・地下深部の空洞で生まれたとする説
画像提供：日経ナショナルジオグラフィック社

P.9　●シアノバクテリアがつくった酸素
写真：ⓒねこのしっぽラボ
●鹿児島県の硫黄島
投稿サイト「PLAY LIFE」2019.10.29 記事 (投稿者 木下愛)

P.12　●動植物の上陸
写真提供：Nicolas Fernandez ⓒ 123RF.COM

P.13　●南極のオゾンホール
画像提供：NASA

P.14-15　●生物の上陸
参考資料：季刊「生命誌」60 号 From BRH『生きもの上陸大作戦』

P.16　●胎児の類似性
参考資料：エルンスト・ヘッケルの発生と進化の教科書の図

P.17　●コラム 生物の大量絶滅
・火山の噴火
画像提供：Shutterstock
・恐竜の大量絶滅
画像提供：Elena Duvernay ⓒ 123RF.COM

第２章　にぎやかなサンゴ礁

P.18　●サンゴ礁の海
写真提供：cinoby/iStock

P.19　●世界のサンゴ礁の分布
Reef Base のデータより作成

P.20　●サンマなどがたくさんとれる北の海
写真提供：ペイレスイメージズ
●カラフルな魚であふれる熱帯の海
写真提供：フォトライブラリー

P.21　●群体のおもな形状
・テーブル状
写真提供：フォトライブラリー
・枝状
写真提供：johnandersonphoto/iStock
・球状
写真提供：johnandersonphoto/iStock

P.22　●造礁サンゴがつくるいろいろな群体
・ミドリイシの群体 (左)
写真提供：公益財団法人東京都公園協会
・同（中）
画像提供：Kampee Patisena ⓒ 123RF.COM
・同（右）
写真提供：フォトライブラリー
・ハマサンゴの群体（左）
写真提供：備瀬マリンレジャー
・同 (中)
写真提供：やどかり屋
・同（右）
写真提供：沖縄科学技術大学院大学新里宙也

P.23　●「コラム サンゴ礁をつくらないサンゴたち」
・アカサンゴ
写真提供：一般財団法人沖縄美ら島財団
・モモイロサンゴ
写真提供：国営沖縄記念公園（海洋博公園）・沖縄美ら海水族館
・ソフトコーラルの仲間 (左)
写真提供：生麦海水魚センター
・同（中）
写真提供：フォトライブラリー
・同（右）
写真：マリンアクアリウム総合情報サイト

P.25　●サンゴ礁の類型
・環礁
写真提供：フォトライブラリー

P.26　●サンゴと褐虫藻の共生
・ポリプと褐虫藻
写真：ⓒ琉球大学熱帯生物圏研究センター瀬底研究施設 中野義勝

・サンゴの産卵
写真：ⓒ沖縄ダイビングサービス Lagoon
P.29 ●サンゴ破壊の原因
・オニヒトデ
写真提供：Tarasovs/iStock
・埋め立て工事
写真提供：フォトライブラリー

第３章 深海の生き物たち

P.30 ●深海の生き物（イメージ図）
画像：ⓒ JAMSTEC
P.32 ●深海の生き物の知恵
・ヒカリキンメダイ
写真：ⓒアクエリアスダイバーズ 白石拓己
・ツノザメ（右）
投稿サイト「デイリーポータル Z」2015.4.14 記事 (投稿者 平坂寛)
・ツノザメ（左）
写真：アフロ
・シーラカンス
写真：アフロ
・ダイオウグソクムシ
写真提供：NOBU/PIXTA（ピクスタ）
P.33 ●マリンスノー
・マリンスノーの正体
写真：『ダイビングワールド』（2003 年 12 月ハワイ）
・マリンスノーを食べている海底の生き物
写真：Craig McClain/Deep Sea News
P.34 ●鯨骨生物群集
写真：CNN/OCEAN EXPLORATION TRUST/NOAA
P.35 ●シロウリガイ
画像：ⓒ JAMSTEC
P.37 ●「コラム しんかい 6500」中の潜航調査中の有人潜水調査船「しんかい 6500」
写真：ⓒ JAMSTEC/NHK
P.38 ●熱水噴出孔の黒煙（左）
画像：ⓒ JAMSTEC
P.40 ●熱水噴出孔周辺の生き物
・熱水噴出孔イラスト、オハラエビ、ゴエモンコシオリエビ
画像：ⓒ JAMSTEC

●著者略歴

保坂 直紀（ほさか・なおき）

サイエンスライター。東京大学理学部地球物理学科卒。同大大学院博士課程（海洋物理学）を中退し、1985年に読売新聞社入社。地球科学や物理学などの取材を担当。科学報道の研究により、2010年に東京工業大学で博士（学術）を取得。2013年に早期退職し、東京大学海洋アライアンス上席主幹研究員などを経て、2019年から同大大学院新領域創成科学研究科特任教授。気象予報士。著書に『謎解き・海洋と大気の物理』『謎解き・津波と波浪の物理』『びっくり！ 地球46億年史』（講談社）、『これは異常気象なのか？』『やさしく解説 地球温暖化』（岩崎書店）、『クジラのおなかからプラスチック』（旬報社）など。

海は地球のたからもの 3

海の生き物の役割

2020年3月17日　初版1刷発行

著　者　保坂直紀

発行者　鈴木一行

発行所　株式会社 ゆまに書房

東京都千代田区内神田2-7-6
郵便番号　101-0047
電話　03-5296-0491（代表）

印刷・製本　株式会社 シナノ パブリッシング プレス

本文デザイン　高嶋良枝

ISBN 978-4-8433-5569-5 C0344

落丁・乱丁本はお取替えいたします。

定価はカバーに表示してあります。